Petits Jardins

Petits Jardins

21 Rue du Montparnasse 75283 Paris cedex 06

ÉDITION ORIGINALE

RHS *Simple Steps* :
Planting a Small Garden

ÉDITION FRANÇAISE

Traduction
Jean-Pascal Chatelard

Direction éditoriale
Catherine Delprat

Édition
Agnès Dumoussaud

Relecture-correction
Laurence Alvado

Direction artistique
Emmanuel Chaspoul assisté de Cynthia Savage

Réalisation
Les Éditions de l'Après-Midi

Couverture
Véronique Laporte

ISBN 978-2-03-582279-6
Dépôt légal mars 2007

Achevé d'imprimer en janvier 2007 par Tien Wah Press,
Singapour, Asie.

Sommaire

Créer son petit jardin
Trouvez l'inspiration dans de beaux petits jardins, plantés avec imagination

Par où commencer ?
Choisissez un style de jardin et apprenez à mieux connaître l'exposition et le sol du vôtre

Comment planter
Réalisez et plantez des massifs et des plates-bandes fleuris

Idées de plantation
Nourrissez-vous de quelques exemples de jardins à thème ou d'intérêt saisonnier

Des potées toutes simples
Choisissez un joli pot et plantez-le en vous inspirant de compositions réussies

Conseils d'entretien
Apprenez à maintenir tout au long de l'année le jardin en bonne santé

Catalogue des plantes
Utilisez ce guide pour offrir à vos massifs couleur, parfum et structure

Index

Crédits photographiques

Créer son petit jardin

La conception d'un petit jardin, si elle relève parfois du défi, s'avère aussi enrichissante. Vous trouverez ici les bases indispensables à leur aménagement.
Pensez d'abord à masquer les limites du jardin : il n'en paraîtra que plus grand. Pour guider le regard, servez-vous de points de mire.
Rappelez-vous que le choix du style et des couleurs facilite celui de la conception d'ensemble.
Enfin, pour que le jardin reste beau toute l'année, choisissez des plantes aux formes et aux couleurs qui présentent un intérêt saisonnier.

Masquer les limites du jardin

Une limite, comme un mur ou une clôture, donne une impression d'étroitesse, voire d'oppression. Pour embellir le jardin et en faire un espace plus accueillant, cachez-la sous la verdure.

Dissimuler une clôture *(ci-contre, en haut)* La clôture au fond du jardin est une limite gênante. Trop apparente, elle révèle immédiatement les dimensions du terrain. Pour l'agrandir, dissimulez-la derrière une mixed-border composée de plantes de la même taille, voire plus hautes. Prévoyez un massif assez profond : devant une clôture, une maigre rangée de plantes forme une bande trop étroite, qui attire davantage le regard et aboutit à l'effet contraire.

Cour intérieure *(ci-contre, en bas)* Petit jardin n'implique pas nécessairement petites plantes. Avec ces dernières, au contraire, on renforce considérablement l'impression d'étroitesse. Pour maximiser l'espace au centre du terrain en créant une cour, placez de grandes plantes devant les murs ou les clôtures et dans de vastes massifs disposés de chaque côté du jardin. Ces plantes contribuent en même temps à cacher les murs et les clôtures.

Fausses perspectives *(en haut, à droite)* Pour dissimuler les limites d'un jardin et donner une impression de profondeur, il suffit de créer de fausses perspectives. Si le jardin semble petit, diminuez progressivement la largeur des massifs sur les côtés du terrain de façon à le rendre plus large au fond : le jardin n'en paraîtra que plus grand. Une autre astuce consiste à éloigner le regard des limites du jardin en l'attirant au centre, sur une zone engazonnée ou dallée, bordée de plantations denses. Avec des persistants, l'effet est permanent.

Écrans de verdure *(en bas, à droite)* En divisant le jardin par des écrans de plantes variées, il devient impossible, d'un endroit quelconque, de l'embrasser complètement du regard : cela donne une impression de grandeur et réduit l'accent mis sur ses limites. On peut aussi diviser un petit espace avec des treillages ou des écrans de saule tressé, qui sont autant de supports pour des grimpantes. On peut alors y cultiver plus de plantes.

Utiliser la couleur

Au jardin, la couleur des fleurs et des feuillages est très précieuse. Elle peut être utilisée de mille façons. La couleur suscite, voire renforce, une ambiance ou crée de jolies scènes dans certaines parties du jardin.

Tonalités riches *(page de gauche)* Si vous passez du temps à profiter de votre jardin de l'intérieur de la maison, n'hésitez pas à lui donner des teintes riches, bien visibles de là, en plaçant sur la terrasse des plantes en pots ou en créant des massifs près des fenêtres. Les associations harmonieuses de couleurs créent des ambiances fortes, mais reposantes. Au loin, utilisez de préférence des tons pastel : ils ressortiront mieux que des couleurs vives.

Plantations monochromes *(ci-contre, en haut)* Un jardin ou un massif remplis de plantes à fleurs blanches créent une atmosphère fraîche et apaisante, superbe au crépuscule, lorsque les boutons floraux resplendissent dans le jour déclinant. Des fleurs crème ou jaune pâle, des bleus et des roses très pâles permettent d'éviter les effets trop sévères et froids. Les plantes à feuillage argenté ou panaché restent intéressantes après la floraison.

Teintes chaudes *(ci-contre, au centre)* Les coloris flamboyants, tels les rouges ou les roses vifs, sont à utiliser avec prudence. Ils attirent le regard et le détournent de teintes plus douces. Placés au fond du jardin, ils donnent souvent une impression d'étroitesse. Il est toujours préférable de grouper les coloris chauds pour introduire une touche de couleurs forte et spectaculaire. Pour atténuer l'effet produit, jouez le cas échéant sur les contrastes, en ajoutant des fleurs bleues ou pourpres.

Sereine verdure *(ci-contre, en bas)* Rappelez-vous que le vert est une couleur, la plus courante d'ailleurs dans presque tous les jardins. Les innombrables nuances de vert ont un effet apaisant et les jardins de feuillages sont en général des lieux calmes. Associez les verts à d'autres couleurs, mais songez que, en arrière-plan, ils perdent de leur éclat. Dans ce cas, pour apporter de la lumière ou un intérêt complémentaire, utilisez des plantes à feuilles panachées ou à fleurs blanches ou pastel.

Points de mire

Le jardin tire parti d'un élément fort au sein des plantations, qui permet au regard de se poser : une statue, une potée ou même une autre plante. Cela donne du relief ou crée la surprise.

Arbres extraordinaires *(ci-contre, en haut)* Dans un jardin cherchant à imiter la nature, les points de mire sont de préférence des objets naturels : rochers ou beaux spécimens végétaux. Dans ce jardin méditerranéen, les troncs noueux et les feuillages argentés de deux vieux oliviers font le même effet qu'une sculpture classique.

Potées remarquables *(ci-contre, en bas)* De jolies poteries, vides ou plantées, isolées ou en groupe, sont des moyens simples de créer des points de mire. On les place au milieu d'un massif, sur une terrasse, voire au bout d'une allée, pour fermer une perspective, par exemple. Les grands pots imposants sont souvent utilisés vides ; d'autres sont mis en valeur par une superbe plante, comme *Dasylirion*.

Accents de couleur *(ci-dessous)* Au milieu d'un massif, des plantes aux couleurs vives créent la surprise, comme ces bulbes à floraison vive, des tulipes orange.

Escalier sinueux *(page de droite)* Même un escalier sinueux traversant une végétation luxuriante conduit le regard vers des feuillages plus vifs et des fleurs éclatantes sur lesquelles il finit par se poser.

Jardins à thème

Certains jardins, parmi les plus réussis, sont conçus à partir d'un thème ou d'une idée orchestrant les plantations en un ensemble cohérent. Grâce à des plantes judicieusement choisies, on traduit mieux encore l'esprit ou l'atmosphère qui donnent au jardin son authenticité.

Végétation luxuriante et subtropicale *(ci-contre, en haut)* De nombreuses plantes semi-rustiques suggèrent une ambiance subtropicale. Cet aspect luxuriant est en général accentué par des plantes à feuillage. Pour renforcer encore le style de ce jardin, les palmiers rustiques, comme *Trachycarpus*, les bambous, phormiums ou fougères arborescentes sont parfaits. En été, plantez en pots des plantes gélives, comme le bégonia, le canna, *Lantana* et *Hedychium*, dont les fleurs ont un caractère exotique.
Jardins marocains *(ci-contre, en bas)* L'eau est un élément essentiel dans ce type de jardin : une fontaine murale, bordée de carrelage bleu, est un élément décoratif idéal. La plupart des plantes y sont cultivées en pots : pélargonium, palmier dattier, agave et autres succulentes conviennent bien. Dans les coins sombres, placez quelques plantes à grandes feuilles et, pour recouvrir les murs, plantez quelques grimpantes, comme *Trachelospermum*.
Style classique italien *(en haut, à droite)* Les jardins italiens, assez structurés, sont remplis de topiaires et de persistants taillés, comme les buis *(Buxus)*. L'agencement en est simple ; les plantations, réduites, se limitent à quelques plantes favorites, comme l'acanthe, l'agapanthe, l'olivier, le jasmin, des aromatiques et des conifères à port élégant. Des statues de style classique ont aussi un rôle à jouer, souvent pour fermer une perspective. Pour introduire au jardin de la symétrie et du rythme, de grands spécimens en pots font merveille, par exemple le long d'une terrasse.
Jardins champêtres *(en bas, à droite)* Libres et naturels, ces jardins utilisent une palette limitée de plantes, mélangées au hasard en larges groupes. Ce type de plantation, idéal pour de grandes étendues dégagées, est plus éphémère – on y utilise beaucoup d'annuelles, comme le pavot *(Papaver)* et le bleuet *(Centaurea cyanus)*. On peut aussi le concevoir avec des vivaces.

Jardins à thème *(suite)*

Style méditerranéen *(en haut, à gauche)*
Graviers, pots en terre, situation ensoleillée contribuent à créer une ambiance méditerranéenne. Les oliviers en pots passent l'été au jardin. En pleine terre, la lavande, le ciste et quelques exotiques, comme *Yucca*, sont idéals.
Jardins actuels *(en bas, à gauche)*
Des plantes aux lignes architecturales, comme les fougères arborescentes et *Tetrapanax*, sont les piliers des jardins très stylisés. Les graminées sont aussi appréciées.
Jardins de curé *(ci-dessous)* Des massifs débordant de fleurs sont la marque typique des jardins de curé. Les plantes les plus utilisées sont le delphinium, la digitale, la marguerite et la lavande.
Calme asiatique *(ci-contre, à droite)*
Pour un jardin japonais, rien de mieux que certaines plantes, comme l'érable du Japon, les pins nains, les bambous, avec des pierres et du gravier.

Beau toute l'année

Voir la façon dont le jardin évolue au fil des saisons est l'une des joies du jardinage. Pour obtenir le maximum d'un petit espace, il faut le concevoir et le planter de manière à ce qu'il présente un intérêt permanent. À chaque saison, une atmosphère particulière, renforcée, dans un jardin bien pensé, par un choix judicieux de plantes.

Printemps *(ci-contre, en haut)* Dès que les jours rallongent, le jardin abandonne sa torpeur hivernale. Les bulbes, comme les narcisses et les crocus, exhibent leurs fleurs aux couleurs vives, les vivaces surgissent peu à peu, les arbres et les arbustes caducs se couvrent d'une nouvelle végétation.

Été *(ci-contre, au centre)* Pour bien des jardiniers, cette saison est le point culminant de l'année. Les vivaces, à leur apogée, remplissent les massifs, s'épanouissant durant plusieurs mois. Les annuelles fleurissent et montent en graine. Arbres et arbustes feuillus assurent une présence permanente. Les plantes gélives prospèrent dans la douceur estivale.

Automne *(ci-contre, en bas)* C'est sans doute la saison de l'abondance, la période la plus éclatante. Dans les massifs, les plantes à floraison tardive, comme l'aster et le dahlia, resplendissent ; les arbres et les arbustes se couvrent de baies et de fruits colorés. Avant leur chute, les feuillages des caducs illuminent le jardin de teintes vives. En ces journées humides encore chaudes, certains bulbes, comme les colchiques, apportent une fraîcheur bienvenue.

Hiver *(page de droite)* Une fois les feuilles tombées, on appréhende mieux la forme et la structure du jardin et des plantes. C'est une saison calme, toute pénétrée de discrète beauté. L'attention se fixe sur les arbres et les arbustes, comme le bouleau blanc *(Betula pendula)* et les cornouillers aux rameaux colorés, sur les persistants, les inflorescences fanées des vivaces ou des graminées. Quelques plantes apportent de délicates floraisons, souvent délicieusement parfumées. Lorsque le froid survient, gel et neige saupoudrent les plantes, créant une ambiance féerique.

Massifs et plates-bandes de printemps

Aucune saison n'est attendue avec autant d'impatience que le printemps. Après les jours sombres et froids de l'hiver, le jardin renaît : verdure et fleurs vives inaugurent une nouvelle année de jardinage. En mai, les verts tendres et brillants des jeunes feuillages des massifs illuminent le jardin de leur fraîcheur.

Grimpantes *(ci-contre)* De nombreuses grimpantes à floraison printanière peuvent recouvrir les murs et les clôtures. La glycine *(Wisteria)*, aux fleurs en cascades parfumées, blanches ou pourpres, est sans doute la plus connue. Pour ne pas devenir envahissante, cette plante vigoureuse a besoin de tailles sévères. *Clematis montana*, à fleurs blanches ou roses, et *Akebia quinata*, à boutons pourpres, sont aussi très vigoureuses. *Clematis alpina* et *C. macropetala* ainsi que le chèvrefeuille précoce *(Lonicera periclymenum* 'Belgica'*)*, à fleurs toutes délicieusement parfumées, sont plus adaptés aux petits espaces.

Bulbes éclatants et vivaces précoces *(en haut, à droite)* Dans les massifs jaillissent les plantes herbacées qui prospèrent en climat doux et humide. Elles fleurissent souvent vite, telles les vivaces de sous-bois, *Pulmonaria*, la primevère, *Dicentra*, *Doronicum*, *Epimedium* et l'anémone. Certaines d'entre elles s'associent très bien aux bulbes de printemps, comme les tulipes et les narcisses : elles embellissent les plantations et dissimulent le feuillage disgracieux des bulbes quand la saison progresse.

Tapis de fleurs printanières *(en bas, à droite)* Dans les parties plus libres du jardin, où l'on aime à voir des scènes naturelles, plantez des bulbes dans l'herbe pour qu'ils s'y naturalisent. Associez le perce-neige *(Galanthus)* et le crocus, qui fleurissent en mars, aux fritillaires, tulipes, narcisses et *Camassia*, dont la floraison se prolonge jusqu'en juin. Ce type de plantation est idéal aux pieds des grands arbres. Avant de tondre la pelouse, attendez que les feuilles des bulbes dépérissent.

Massifs et plates-bandes d'été

En été, les massifs sont à leur apogée : les couleurs explosent sans retenue. Un jardin bien conçu offre une succession de floraisons durant des mois.

Associer les couleurs *(ci-contre, en haut)* Une composition d'annuelles et de vivaces est un moyen simple et rapide d'apporter de la couleur. Si des coloris contrastés sont d'un effet saisissant, des teintes en parfait accord créent une ambiance reposante.
Apaisants feuillages *(ci-contre, en bas)* Dans un petit espace, sans un minimum de rigueur, les couleurs vives deviennent oppressantes. En les associant à des feuillages pour atténuer leurs teintes éclatantes, l'atmosphère est plus apaisante. Les feuilles argentées, comme celles d'*Artemisia*, associées aux fleurs blanches, crème ou rose pâle, apportent une sensation de fraîcheur. Des feuillages vert foncé créent de beaux contrastes avec des fleurs à teintes vives.
Bulbes d'été *(ci-dessous)* Les lis, les glaïeuls et *Galtonia*, souvent négligés, donnent de puissantes notes de couleur. Plantez-les dans un massif ou cultivez-les en godets que vous enterrerez ensuite.
Floraisons permanentes *(page de droite)* Les vivaces s'essoufflent en général à mesure que l'été progresse, surtout en période de sécheresse ou de grosses chaleurs. Certaines fleurissent toutefois en automne, en particulier les plantes originaires des climats chauds, comme les crocosmias et les rudbéckias.

Massifs et plates-bandes d'automne

Les jours diminuent. Apparaissent alors de nouvelles sources d'intérêt et de couleur : feuilles aux teintes éclatantes, fruits et graines succédant aux fleurs. Pour certaines floraisons, l'automne est aussi la meilleure saison.

Caducs *(page de gauche)* Les arbres et arbustes, comme l'érable du Japon et *Rhus*, prennent des tons d'automne qui forment de splendides arrière-plans pour d'autres plantes. Une fois tombées, les feuilles colorées sont encore décoratives, notamment parmi des fleurs de bulbes et de vivaces à floraison tardive, comme les cyclamens.

Vivaces colorées *(ci-dessous)* Des vivaces comme les asters, les chrysanthèmes, les cyclamens et *Saxifraga fortunei*, produisant des fleurs éclatantes jusqu'aux premières gelées, sont splendides en massif d'automne. Pour animer certains coins du jardin, devenus moins intéressants à cette saison, elles sont aussi très utiles en pots.

Graines décoratives *(ci-contre, en haut)* Certaines vivaces à floraison estivale, comme *Echinops*, *Allium*, l'agapanthe, et beaucoup de graminées produisent des graines décoratives persistant jusqu'en hiver. Lorsqu'elles se couvrent de toiles d'araignée ou de gel, le soleil déclinant de l'automne les met en valeur.

Fruits colorés *(ci-contre, en bas)* À cette saison, nombre d'arbres et arbustes produisent de jolis fruits, qui persistent longtemps. Certains rosiers, en particulier, ont des cynorhodons rubis. Pour nourrir les oiseaux, ne taillez pas certaines plantes, comme *Viburnum* ou *Sorbus*.

Massifs et plates-bandes d'hiver

En hiver, dépourvus de leurs fleurs éclatantes, les jardins sont souvent négligés. Pourtant, avec des plantations choisies, la saison peut être délicieuse. Les plantes d'intérêt hivernal ont des caractères subtils : fleurs agréablement parfumées, des tiges, feuillages, graines ou fruits décoratifs, voire des formes épurées.

Floraisons d'hiver *(ci-contre, en haut)* L'hellébore, comme *Helleborus x hybridus*, offre l'une des meilleures floraisons d'hiver. En fleur de janvier à avril, cette vivace persistante qui forme une touffe est facile à cultiver dans tout bon sol, à mi-ombre. Plantée en groupe, c'est un excellent couvre-sol. Parmi les vivaces présentant un intérêt à cette saison, choisissez *Iris inguicularis*, à fleurs mauves, et *Arum italicum* 'Marmoratum', à feuilles veinées de blanc.

Arbustes parfumés *(ci-contre, en bas)* Quelques arbustes fleurissent en hiver, comme l'hamamélis, à fleurs en forme d'araignée, orange, jaunes ou rouges. Parmi les arbustes à floraison parfumée, retenez certains chèvrefeuilles, comme *Lonicera* x *purpusii*, et *Chimonanthus praecox*.

Beauté éphémère *(en haut, à droite)* En hiver, le gel et la neige apportent un élément de beauté éphémère, en transfigurant souvent le jardin au cours de la nuit. Une légère couche de neige ou une forte gelée rehaussent les formes, en mettant en relief les éléments et les plantes.

Élégantes graminées *(en bas, à droite)* Les graines de certaines graminées persistent en hiver, donnant aux plantations une élégance inattendue, notamment quand elles se couvrent de givre. Effilées, elles permettent de voir les branches de pommier couvertes de fruits.

Des vedettes parfumées *(à l'extrême droite)* Le mahonia est l'un des plus beaux arbustes persistants d'hiver, avec des feuilles épineuses et des fleurs jaunes délicieusement parfumées, suivies de baies bleuâtres. Sa forme architecturale, très intéressante, en fait un splendide arrière-plan. Placez devant d'autres plantes, comme *Euonymus*, à fruits colorés.

Par où commencer ?

Pour être réussi, l'aménagement d'un jardin demande une planification soigneuse. En choisissant un style, considérez aussi le temps que vous pourrez consacrer à l'entretien. Vous trouverez ici un aperçu des exigences requises en la matière par les divers types de jardin. Pour certains, une intervention hebdomadaire suffit, d'autres exigent un travail quotidien, et il y en a aussi de plus faciles que d'autres. En abordant différents styles, cette partie vous apporte des sources d'inspiration précieuses et des indications pour composer un jardin adapté à vos besoins et à ceux de votre famille. Une fois le style choisi, considérez la situation du jardin et la nature du sol afin de choisir des plantes adaptées.

Beaucoup et peu d'entretien

En concevant un jardin, songez au temps qu'il vous faudra lui consacrer pour l'entretenir au mieux.

Beaucoup d'entretien

Jardins de collectionneurs Ces jardins regorgent de plantes rares, dont il faut impérativement respecter les exigences culturales spécifiques. Les plantes y sont disposées avec rigueur et les soins du jardinier apportés à leurs conditions de culture sont permanents. Un entretien régulier est indispensable pour éviter que certaines plantes deviennent trop envahissantes.

Plantations denses En plantant serré, on tient les mauvaises herbes à distance. Certains végétaux exigent beaucoup d'entretien : plantes gourmandes en eau et en nourriture, plantes nécessitant une taille régulière ou sensibles aux ravageurs et aux maladies. Il faut aussi tous les ans planter et arracher les tulipes, semer les annuelles. Pour avoir une belle pelouse, il est nécessaire de tondre chaque semaine.

Plantes réclamant beaucoup d'entretien

- Asters (certains)
- *Astrantia*
- *Buxus sempervirens* (taillés)
- Cannas
- Clématites (certaines)
- *Cornus sanguinea* 'Winter Beauty'
- Dahlias
- *Dicksonia antarctica*
- *Echinacea purpurea*
- *Erysimum*
- *Helenium*
- Hostas
- *Lavandula* (lavande)
- Lis
- *Melianthus major*
- Rosiers (certains)
- *Sambucus racemosa* 'Plumosa Aurea'
- Tulipes

Plantez les bulbes de **tulipes** en novembre.

***Hosta* 'June'**, comme tous les hostas, est apprécié des limaces.

Taillez ***Cornus sanguinea*** en mars.

Plantez les bulbes de ***Lilium regale*** au printemps.

Peu d'entretien

Jardins faciles à entretenir Il existe d'excellentes solutions pour ceux qui n'ont pas le temps, mais désirent néanmoins un jardin agréable. Remplacez la pelouse par des terrasses ou des patios. Étendez sur le sol un plastique spécial pour réduire les corvées de désherbage et, après la plantation, recouvrez-le d'écorces ou de galets. Installez un système d'irrigation et choisissez des plantes exigeant peu d'entretien.

Jardins sans entretien Ils présentent un intérêt permanent, mais demandent peu de soins. Les persistants, arbres et arbustes, sont idéals : leur taille est réduite et ils ne perdent pas leurs feuilles en automne. Une utilisation minimale des vivaces diminue considérablement le travail en fin de saison. En espaçant suffisamment les grandes plantes, on réduit aussi la taille et l'arrosage.

Plantes réclamant peu d'entretien

- *Acer*
- *Arbutus unedo*
- *Aucuba japonica*
- *Choisya ternata* 'Sundance'
- *Cotoneaster horizontalis*
- *Fatsia japonica*
- Hémérocalles
- *Ilex aquifolium* 'Silver Queen'
- *Jasminum nudiflorum*
- *Mahonia*
- *Nandina domestica*
- Pervenches
- *Phormium*
- *Photinia* x *fraseri* 'Red Robin'
- *Phyllostachys nigra*
- *Stipa tenuissima*
- *Trachelospermum asiaticum*

Ilex aquifolium 'Silver Queen' porte un beau feuillage persistant.

Stipa tenuissima est une graminée facile à vivre.

En été, ***Hemerocallis*** 'Corky' s'embrase de fleurs jaune d'or.

En automne, ***Cotoneaster horizontalis*** se couvre de baies.

Choisir un style de jardin

Si vous optez pour un style spécifique, assurez-vous qu'il est réalisable et s'accorde à votre façon de vivre.

Quels sont vos souhaits ?

Pour votre propre jardin, les autres jardins sont une source d'inspiration précieuse, tout comme les livres, magazines et émissions télévisées. Si, habitant une région peu favorable, vous rêvez d'un jardin tropical et de plantes exotiques, comme des palmiers, ayez recours à des pots placés sur une terrasse inondée de soleil.

Quels sont vos besoins ?

Si vous aimez recevoir à l'extérieur, une grande terrasse pourvue d'un beau coin repas est indispensable. Rappelez-vous qu'une pelouse est prisée des enfants qui profitent du jardin en été. Votre style de vie appelle peut-être un jardin accommodant, aux plantes faciles et qui restent attrayantes toute l'année. Considérez le temps que vous pourrez lui consacrer.

Ayez présent à l'esprit l'impact visuel du style choisi. Vous faut-il des plantes remarquables pour des impressions fortes ? Préférez-vous un jardin suggérant l'exotisme ou simplement un havre de paix ? En achetant vos plantes, assurez-vous qu'elles correspondent à votre style.

La question de l'entretien

Un jardin couvert de plantes rares et de jolies fleurs est une chose merveilleuse, qui demande aussi du temps. En plantant votre jardin, considérez le temps que vous allez lui consacrer. Certains jardins demandent beaucoup moins d'entretien que d'autres.
Un jardin structuré, avec une pelouse au centre bien entretenue, a toujours bel aspect mais, si l'on manque de temps, mieux vaut parfois réduire la surface de gazon et la remplacer par une terrasse en bois ou du gravier.
Un style formel appelle souvent des plates-bandes ou des massifs géométriques. Des associations de vivaces, d'annuelles et d'arbustes demanderont plus d'entretien que de simples plantations d'arbustes, beaucoup moins exigeants.

Une approche naturelle

Pour beaucoup, en optant pour un style naturel, associant des groupes de vivaces et des plantes sauvages, on crée un jardin proche de la nature.
Avec un tel choix, on évite souvent les produits chimiques et on adopte des méthodes de culture biologique. En favorisant au jardin la présence des oiseaux, des insectes et autres animaux sauvages, on enrichit considérablement son expérience de jardinier. Des massifs arrondis ou sinueux sont parfaitement adaptés à ce style naturel.

Quelques idées de styles

En choisissant un style pour la conception et l'agencement du jardin, on gagne considérablement en cohérence : cela facilite la sélection des plantes et des éléments décoratifs.

Jardin japonais

Le vrai jardin japonais est difficile à réaliser et à entretenir : il exige connaissances et rigueur. Pour le créer, optez pour des éléments bien spécifiques : lignes minimalistes, choix de certaines plantes, de pierres, de graviers ratissés ou de morceaux d'ardoise, et de certains points de mire, comme une lanterne de pierre. Les couleurs, sobres, viennent surtout des feuillages ; les fleurs, trop vives, sont à bannir.

Les plantes pour réussir
- *Acer japonicum* (érable du Japon)
- *Camellia sasanqua*
- *Ophiopogon* 'Nigrescens'
- *Phyllostachys nigra*
- *Pinus mugo* 'Ophir'

Entretien Sur le gravier, retirez les feuilles et les mauvaises herbes : le jardin doit être impeccable.

Dans un jardin de style japonais, les feuilles de l'érable apportent leurs teintes éclatantes.

Jardins brodés et parterres

Les jardins brodés, souvent petits, sont faits de haies basses et taillées, en général de buis, voire de *Santolina* ou de lavandes, dessinant des motifs simples. Entre les bordures, on crée des masses colorées avec des graviers ou des plantes à massif. Les parterres ont des formes et des dimensions plus ambitieuses ; ils utilisent aussi des haies basses, associées à des fleurs colorées et à des topiaires. Ces deux styles de jardin, très formels et plus beaux vus de haut, réclament de l'entretien.

Les plantes pour réussir
- Aromatiques
- *Buxus* (buis)
- Plantes à massif : dahlias, cosmos, etc.
- *Santolina chamaecyparissus*
- *Taxus baccata* (if)

Entretien Pour un aspect soigné, taillez les haies deux ou trois fois par an.

Même sans fleurs, un jardin brodé bien entretenu fait toujours bel effet.

Jardins actuels

La tendance de ces jardins est la retenue et la simplicité. Les plantes y jouent un rôle secondaire, s'effaçant derrière une conception minimaliste du paysage. Elles sont choisies et placées avec rigueur : quelques spécimens à forme architecturale créent un effet immédiat. La palette des couleurs et des variétés est réduite : on utilise au mieux formes et textures. En été, des groupes de vivaces et de graminées, disposés avec naturel, apportent de la couleur au jardin.

Les plantes pour réussir
- *Acer japonicum* (érable du Japon)
- *Dicksonia antarctica*
- *Fatsia japonica*
- Formes topiaires : *Buxus* (buis) et *Taxus* (if)
- *Phyllostachys nigra*
- *Stipa tenuissima*
- *Verbena bonariensis*

Entretien L'entretien d'un tel jardin est réduit, mais il faut tout de même arroser les plantes, notamment après la plantation, et remplir si besoin les surfaces de gravier ou autres agrégats.

Des boules de buis taillé parmi un océan de lavandes donnent au jardin un aspect actuel.

Jardins tropicaux

Pour un effet spectaculaire purement floral, rien ne vaut l'ambiance tropicale. Les compositions de plantes exotiques, associant plantes rustiques et gélives cultivées pour leurs fleurs et leurs feuillages, offrent de splendides spectacles d'été et d'automne. La disposition est naturelle, les plantes y poussent à profusion. Les immenses feuilles rugueuses et les fleurs éclatantes prédominent. Plus la saison avance, plus le jardin explose. L'entretien est important et la luxuriance disparaît souvent aux premiers gels.

Les plantes pour réussir

- Cannas
- Dahlias
- *Hedychium gardnerianum*
- *Melianthus major*
- *Musa basjoo* (bananier)
- *Phoenix canariensis*
- *Phormium tenax*
- *Ricinus communis*

Entretien Plantez votre coin tropical après les dernières gelées. Pour vite obtenir une végétation luxuriante, arrosez et nourrissez généreusement. En hiver, protégez les plantes gélives du froid.

Des fleurs et des feuillages remarquables composent un splendide jardin estival.

Jardins de curé

Pour beaucoup, le jardin de curé classique est le nec plus ultra. Les plantations y sont le plus souvent naturelles, aménagées le plus simplement du monde, en général le long de discrètes allées. Les vivaces à fleurs prédominant largement, ces jardins atteignent leur apogée en juin. Plus tard, rosiers et clématites apportent encore des couleurs en abondance. En hiver, une fois les fleurs fanées, des arbustes choisis donnent au jardin une structure. Les teintes, souvent douces, atténuées, suscitent une atmosphère de paix.

Les plantes pour réussir

- *Astrantia*
- *Delphinium*
- *Dianthus* (œillets)
- *Digitalis purpurea* (digitale)
- Géraniums
- *Philadelphus*
- *Ribes* (groseillier à fleur)
- Rosiers

Entretien Pour un bonne croissance des plantes, paillez au printemps avec du compost de jardin. Divisez les touffes tous les 2-3 ans afin qu'elles restent vigoureuses.

Des massifs débordant de fleurs sont la marque du jardin de curé.

Jardins contemporains

Le jardin contemporain est souvent conçu comme une extension de la maison, une sorte de « pièce de plein air », incluant des coins pour manger et se reposer. Ce jardin fait appel aux surfaces en dur ou en bois, idéales pour accueillir en été de nombreuses potées de plantes colorées autour de thèmes choisis avec rigueur. Dans les massifs, les plantes demandent peu d'entretien : ce sont souvent des persistants, présentant un intérêt toute l'année. Elles sont plantées sous un plastique recouvert de paillis, réduisant l'entretien et les corvées de désherbage.

Les plantes pour réussir

- *Acer japonicum* (érable du Japon)
- *Astelia nervosa*
- *Aucuba japonica*
- *Choisya ternata*
- *Clematis armandii*
- *Photinia* 'Red Robin'
- *Pittosporum tenuifolium* 'Tom Thumb'

Entretien Vérifiez que les jeunes plantes ne manquent pas d'eau. Étendez un paillis et ne plantez en pots qu'après les derniers gels.

Cette terrasse en bois donne au jardin un style contemporain.

Les effets de l'exposition

De l'exposition du jardin dépend la quantité de soleil qu'il reçoit. L'altitude influe aussi sur la température.
En choisissant vos plantes, considérez toujours ces deux facteurs.

Quelle est l'exposition de votre jardin ? En observant la quantité de soleil que le jardin reçoit, vous aurez une idée de son exposition. Pour plus de précision, utilisez une boussole. Le dos au mur de la maison, la lecture de l'appareil vous donne l'orientation du jardin. Les jardins faisant face au sud sont les plus ensoleillés ; face au nord, ils le sont peu.

Un coin ensoleillé le matin peut être ombragé l'après-midi.

Jardins ensoleillés ou ombragés Certains jardins sont très ensoleillés, conséquence de l'exposition ou d'autres facteurs, comme l'absence de bâtiments générant de l'ombre. Partout, la position du soleil et le degré d'ensoleillement varient dans la journée. Un jardin orienté au sud bénéficie du soleil toute la journée ; au nord, il en a beaucoup moins (et en hiver, parfois pas du tout).

Un jardin ensoleillé est préférable, mais un jardin ombragé est plus frais et souffre moins de la sécheresse. Il existe de magnifiques plantes d'ombre ne supportant pas le soleil direct. Les plantes méditerranéennes, en revanche, préfèrent un jardin ensoleillé. L'idéal est de choisir les plantes en fonction de l'exposition.

À midi, le soleil, au zénith, baigne le jardin de ses rayons.

Le soir, au couchant, les rayons obliques projettent une ombre douce.

Éviter les poches de froid Le gel survient lorsque la température descend au-dessous de 0 °C. Les gels printaniers sont très sévères pour le jardin, surtout pour des plantes peu rustiques. Localement, certaines zones sont plus vulnérables, notamment celles où se forment naturellement des poches de froid. L'air froid, plus lourd, descend dans les creux, où il s'accumule en créant des poches. Le gel y persiste aussi plus longtemps. Il peut même sévir alors qu'il ne gèle pas ailleurs. Les jardins situés dans une vallée ou dans une cuvette souffrent ainsi souvent du froid. En empêchant l'air froid de circuler, les haies et les murs font naître ou aggravent le phénomène. Pour y remédier, éclaircissez la haie, utilisez un treillage au lieu d'une barrière pleine, ou laissez le portail ouvert par nuits froides.

Créer des microclimats Dans un même jardin, on constate souvent de grosses différences concernant les conditions climatiques. Un massif près d'un mur ou d'une clôture ensoleillés est plus chaud et sec qu'un massif à l'ombre d'un arbre, endroit plus humide et où les écarts de température sont moins marqués. Une zone en contrebas est plus fraîche qu'un massif placé en haut d'une pente. Certaines parties du jardin sont abritées, d'autres plus exposées. Le jardinier tire souvent parti de ces différences. Même sur de petites surfaces, elles permettent de cultiver une plus grande variété de plantes. Pour les plantes gélives, on améliore un coin ensoleillé par une butte qui facilite le drainage. Un coin en contrebas est idéal pour des plantes aimant l'humidité. Pour les zones exposées, utilisez une barrière perméable, comme un treillage.

Impact saisonnier Selon son exposition, le jardin offre des conditions qui évoluent tout au long de l'année. Un jardin au nord ou un massif placé en face d'une clôture au nord reçoivent peu de soleil en hiver et restent froids et humides, mais la température y est plus constante que dans une zone plein sud, réchauffée par le soleil d'hiver et qui n'est fraîche que la nuit. Des plantes constamment exposées au froid ont un départ en végétation tardif, mais sont moins touchées par les derniers gels. Bien que froid et humide en hiver, un coin au nord reste frais l'été, offrant d'excellentes conditions aux plantes de sous-bois, appréciant l'humidité. Les bulbes de printemps préfèrent les coins au soleil sous des caducs, recevant ainsi peu de lumière en été. Une terrasse ensoleillée est idéale pour des plantes gélives bien que, pour certaines, elle soit parfois trop chaude et sèche en été.

Connaître la nature du sol

Avant de planter, examinez votre sol. Sa nature acide ou alcaline et sa composition vont déterminer ce qui y prospérera. Connaître ses propriétés permet de garder les plantes en bonne santé.

Différents types de sol

Le sol comprend deux sortes de constituants : les minéraux (minuscules particules de roches érodées, des gros graviers et des pierres) et les organiques (débris végétaux et animaux, organismes vivants). La partie essentielle se trouve en surface, jusqu'à 30 cm de profondeur. Le sous-sol est moins fertile.

Les caractéristiques du sol dépendent de la dimension des particules, de la quantité de matière organique et de l'eau disponible. Les plus fines particules forment les sols argileux ; les particules un peu plus grosses, les limoneux ; les très grosses, les sableux. Une bonne terre végétale comprend des particules de différentes tailles.

Sol calcaire Les sols clairs, contenant des morceaux blancs de calcaire (c'est en général la roche composant le sous-sol) et souvent du silex, sont des sols calcaires. Ils sont drainants, fertiles, souvent peu profonds et presque toujours alcalins.

Sol humifère Ces sols, très noirs, sont riches en matières organiques, ce qui maintient l'humidité. L'humus apparaît lorsque des conditions acides et humides entravent la décomposition complète des débris végétaux et animaux.

Sol argileux Composés de plus de 25 % de particules d'argile qui retiennent l'eau, ces sols sont difficiles à travailler et souvent détrempés en hiver (mais se dessèchent en été). Riches en matières organiques, ils sont toutefois fertiles.

Sol limoneux Les particules sont un peu plus grosses que dans les précédents sols. Ces sols sont assez frais et fertiles, souvent foncés en raison de la bonne quantité de matières organiques qu'ils contiennent.

Sol sableux Les sols sableux, légers et drainants, sont faciles à identifier. Ils se composent de grosses particules permettant à l'eau de s'écouler rapidement.

Déterminer la nature acide ou alcaline du sol

Pour savoir si le sol est acide ou alcalin et déterminer son pH, utilisez les kits du commerce (vous aurez ainsi une idée précise des plantes que vous pourrez cultiver). Faites des prélèvements dans diverses parties du jardin, juste sous la surface. Le pH se mesure de 1 à 14. Au-dessus de 7 (sol neutre), le sol est alcalin, en dessous, il est acide. Un pH de 6,5 est idéal.

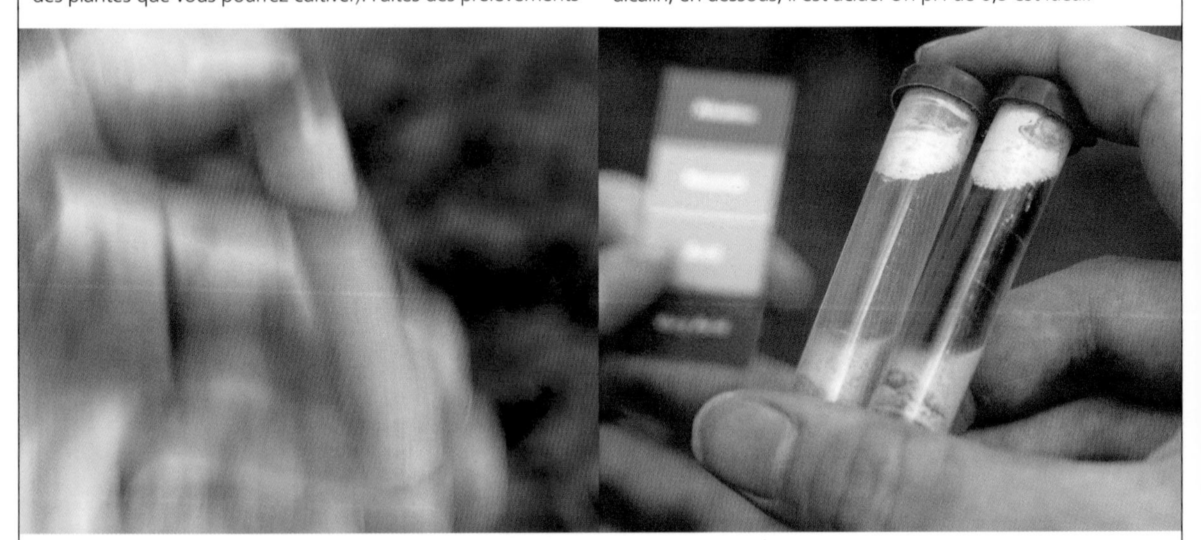

Pour le test, suivez les instructions fournies avec le kit : remplissez le tube avec de la terre du jardin et de l'eau ; mélangez bien.

Comparez les résultats obtenus avec le tableau : une couleur rouge-jaune indique un sol acide ; vert foncé, un sol alcalin.

Identifier un sol sableux

Un sol sableux exige des arrosages réguliers et des apports en matières organiques. Afin de savoir si c'est le cas du vôtre, faites un simple test en observant sa texture. Pour un résultat plus fiable, prélevez des échantillons juste sous la surface de la terre, dans diverses parties du jardin.

Frottez un peu de terre entre vos doigts. Si le sol a une texture graveleuse, granuleuse, il contient sans doute une bonne proportion de sable.

Essayez d'en faire une boule – les particules d'un sol sableux refusent de se coller. Cependant, si c'est une bonne terre végétale, la boule tient un peu.

Identifier un sol argileux

Si votre sol est argileux, il risque de se détremper en hiver et d'être plus difficile à travailler pour les plantations. Pour le savoir, prélevez quelques échantillons dans diverses parties du jardin, juste sous la surface du sol. Dans les mains, un sol argileux est lourd et collant.

Essayez de pétrir la terre avec vos mains. Les particules restent collées et se modèlent facilement sous la pression des doigts.

Une argile lourde peut même être roulée en fin cylindre ; elle est souvent lisse et brillante.

Tirer le meilleur parti du sol

Les différents types de sol présentent des caractéristiques spécifiques, facilitant la culture de certaines plantes ou lançant au contraire un véritable défi au jardinier. Il existe divers moyens d'améliorer le sol pour en tirer le maximum.

Sol sableux

Avantages Les sols sableux, drainants, ne sont pas détrempés en hiver. Ils conviennent donc bien aux espèces ne supportant pas l'excès d'humidité. Légers, ils sont toujours faciles à travailler et se réchauffent vite au printemps.

Inconvénients En période sèche, l'arrosage est indispensable. Un sol sableux ne convient donc pas aux plantes appréciant des conditions humides. En général pauvre, il nécessite aussi de fréquents apports d'engrais et de matières organiques.

Amélioration Pour que le sol retienne mieux l'eau et les matières nutritives, apportez chaque année une bonne quantité de matières organiques. Un paillage permet aussi de maintenir le sol frais. Un apport d'argile est parfois utile.

Plantes pour sol sableux

- *Acacia dealbata*
- *Calluna vulgaris* 'Silver Knight'
- *Catananche caerulea*
- *Cistus* x *hybridus*
- *Convolvulus cneorum*
- *Cotoneaster horizontalis*
- *Erysimum* 'Bowles' Mauve'
- *Euphorbia characias*
- *Euphorbia rigida*
- *Grevillea* 'Canberra Gem'
- *Helianthemum* 'Rhodanthe Carneum' ('Wisley Pink')
- *Helleborus argutifolius*
- *Iris unguicularis*
- *Melianthus major*
- *Olea europaea* (olivier)
- *Pittosporum tobira*
- *Romneya coulteri*
- *Rosmarinus officinalis* (romarin)
- *Solanum crispum* 'Glasnevin'
- *Verbena bonariensis*

Abutilon x *suntense* — *Allium hollandicum* 'Purple Sensation' — *Artemisia alba* 'Canescens'

Bupleurum fruticosum — *Lavandula stoechas* — *Perovskia* 'Blue Spire'

Sol argileux

Avantages Un sol argileux, en général très fertile, retient l'eau et beaucoup de plantes y prospèrent. Plus on le travaille, mieux il convient aux plantations, car il devient plus friable et plus drainant. Évitez de le retourner quand il est détrempé, car il est alors plus compact.

Inconvénients Malgré sa grande fertilité, le sol argileux présente des inconvénients. En hiver, il s'imbibe et devient difficile à travailler. Si, néanmoins, vous le retournez, il se tasse là où ses particules ont été comprimées et retient davantage l'eau. En été, le problème inverse se pose : l'argile se dessèche et un simple bêchage s'avère impraticable. Même si le sol se travaille mieux, il est lourd et forme de grosses mottes. Au printemps, il est aussi lent à se réchauffer.

Amélioration La clé de la réussite est la persévérance. Un apport de matières organiques améliore la structure du sol en le rendant plus friable et plus facile à bêcher. Sur une petite surface (une butte, par exemple), on peut ajouter du sable de rivière. Évitez de piétiner un sol détrempé et ne bêchez pas un sol trop humide. Faites de préférence vos plantations au printemps et en automne, quand la terre se travaille mieux. Dans les zones très humides, il est parfois nécessaire d'installer des drains.

Plantes pour sol argileux

- *Alchemilla mollis*
- *Arum italicum* subsp. *italicum* 'Marmoratum'
- *Aruncus dioicus*
- *Aucuba japonica*
- *Berberis darwinii*
- *Buxus sempervirens* (buis)
- *Campanula glomerata*
- *Carex elata*
- *Cornus sanguinea* 'Winter Beauty'
- *Digitalis purpurea* (digitale)
- Géraniums
- Hémérocalles
- Hostas
- *Hydrangea macrophylla* 'Lanarth White'
- *Iris laevigata*
- *Jasminum nudiflorum*
- *Leycesteria formosa*
- *Mahonia* x *media* 'Buckland'
- *Viburnum tinus* 'Eve Price'

Anemone x *hybrida* 'Honorine Jobert' — *Euphorbia characias* — *Iris sibirica* 'Perry's Blue'

Malus 'John Downie' — *Primula pulverulenta* — *Sambucus racemosa* 'Plumosa Aurea'

Tirer le meilleur parti du sol *(suite)*

Sol calcaire

Avantages Un sol calcaire permet de cultiver beaucoup de plantes. Bon nombre de légumes (dont la famille du chou) n'apprécient guère les sols acides. Parmi les plantes d'ornement, les clématites, notamment, semblent préférer les sols calcaires et les plus belles roseraies sont installées sur une terre alcaline. Ces sols sont appréciés des vers de terre et certains ravageurs ou maladies, comme la hernie du chou, y sont moins nuisibles.

Inconvénients Certaines plantes, dites « acidophiles » ou « calcifuges », ne supportent pas les sols alcalins. Elles sont malheureusement parmi les plus séduisantes : rhododendrons, camélias, *Pieris*, certains magnolias. D'autres plantes de sous-bois, comme *Uvularia* et *Trillium*, poussent naturellement (et nécessairement) dans des terres acides, humides et fraîches. Certaines survivent parfois en sol alcalin, mais elles ont alors triste allure, les feuilles souvent jaunies par la chlorose. Les sols calcaires ont également un déficit en bore, manganèse et phosphore, indispensables à une bonne croissance.

Amélioration On n'améliore pas un sol calcaire, car un pH fort est à la fois bon et mauvais. L'idéal est d'y cultiver des plantes adaptées. Les végétaux acidophiles sont plantés dans des pots, voire dans un massif avec un substrat acide. Si votre sol est neutre ou peu alcalin, un apport annuel de matières organiques permet, après quelques années, de faire suffisamment baisser le pH pour accueillir quelques petites plantes de terre de bruyère.

Plantes pour sol calcaire

- *Aquilegia* groupe McKana
- *Aster* 'Coombe Fishacre'
- *Buddleja davidii* 'Dartmoor'
- *Buxus sempervirens* (buis)
- *Choisya ternata* 'Sundance'
- Clématites
- *Cotoneaster horizontalis*
- *Erica carnea* 'Foxhollow'
- *Erysimum* 'Bowles' Mauve'
- *Hebe*
- *Hibiscus syriacus* 'Oiseau Bleu'
- *Iris unguicularis*
- *Lavandula stoechas*
- *Mahonia* x *media* 'Buckland'
- *Nepeta* x *faassenii*
- *Phormium* 'Yellow Wave'
- *Primula vulgaris*
- *Pulsatilla vulgaris*
- Rosiers
- *Salvia officinalis* 'Purpurascens'
- *Sedum* 'Herbstfreude'

Alchemilla mollis — *Campanula glomerata* — *Clematis cirrhosa*

Cotinus coggygria 'Royal Purple' — *Jasminum nudiflorum* — *Lonicera* (chèvrefeuille)

Sol acide

Avantages Certaines plantes de jardin, parmi les plus remarquables, comme les rhododendrons, *Meconopsis* et *Desfontainia*, poussent uniquement en sol acide. D'autres, comme l'hamamélis, survivent en sol calcaire, mais préfèrent des conditions acides. Si beaucoup de plantes apprécient une légère acidité, un pH trop bas limite considérablement le choix. Un sol acide, associé à des conditions de sous-bois, est toujours plutôt frais et humide.

Inconvénients Un sol acide, en général riche en matières organiques, peut être pauvre, notamment s'il est sableux. Pour l'améliorer, apportez-lui chaque année du fumier bien décomposé. Les sols très humifères sont parfois détrempés et nécessitent un drainage. Ce sont souvent les sols les plus acides : pour y cultiver davantage de plantes, il faut ajouter de la chaux. Beaucoup de fruitiers et de légumes n'apprécient pas les sols trop acides et certaines plantes, dites « calcicoles », n'y poussent pas du tout. Ces sols présentent souvent un déficit en phosphore et contiennent parfois trop de manganèse et d'aluminium. Ce qui peut nuire à la croissance.

Amélioration Si le sol est très acide, il faut sans doute élever son pH pour élargir la variété des plantations. L'apport d'un vieux compost à champignons ou de chaux en poudre est une solution. Pour beaucoup, un sol acide, mais sans excès, est idéal : contentez-vous d'y cultiver des plantes appréciant ces conditions.

Plantes pour sol acide

- *Astilboides tabularis*
- *Betula* (bouleau)
- Camélias
- *Cercis canadensis* 'Forest Pansy'
- *Cornus canadensis*
- *Corydalis flexuosa*
- *Daphne bholua* 'Jacqueline Postill'
- *Desfontainea spinosa*
- *Digitalis purpurea* (digitale)
- *Hedychium densiflorum*
- *Leucothoe fontanesiana* 'Rainbow'
- *Meconopsis*
- *Photinia* x *fraseri* 'Red Robin'
- *Pieris*
- *Primula pulverulenta*
- Rhododendrons
- *Romneya coulteri*
- *Skimmia* x *confusa* 'Kew Green'
- *Stewartia monadelpha*
- *Uvularia grandiflora*

Acer palmatum (érable du Japon) — *Calluna vulgaris* 'Silver Knight' — *Carex elata* 'Aurea'

Cornus kousa var. *chinensis* — *Grevillea* 'Canberra Gem' — *Hydrangea quercifolia*

Comment planter

Apprenez dans ce chapitre à concevoir un massif en partant de rien et à désherber, nourrir, améliorer le sol avant la plantation. Pour parfaire un massif, des idées de bordures ou de paillis vous sont également proposées. Afin de favoriser une croissance saine et vigoureuse, apprenez aussi à faire vous-même le compost de jardin. Découvrez comment remplir plates-bandes et massifs d'arbres, d'arbustes, de grimpantes, de vivaces et d'annuelles pour obtenir, tout au long de l'année, de belles associations de couleurs.

Réaliser un massif

Au jardin, un massif associant fleurs et arbustes est essentiel : il apporte des couleurs, des parfums et de l'intérêt au fil des saisons. Pour le concevoir et le planter avec succès, suivez ces quelques règles de base.

1 Choisissez bien l'emplacement du massif et tracez ses limites avec précision. Pour les courbes, aidez-vous d'un tuyau d'arrosage. Le massif ne doit pas être trop étroit et sa forme générale adaptée à la conception d'ensemble du jardin.

2 Avec un dresse-bordure ou une petite bêche, découpez soigneusement l'herbe en suivant les contours du tuyau d'arrosage. Assurez-vous que les coupes se rejoignent et enfoncez complètement l'outil dans le sol.

3 Enlevez ensuite la pelouse avec une bêche. Commencez par la découper en carrés de bonne taille, puis glissez le fer de bêche sous les racines du gazon. Ne retirez pas une trop grande profondeur de terre.

4 Réutilisez la terre, riche en nutriments, en empilant les mottes à l'envers dans un coin du jardin. Après quelques mois, une fois l'herbe morte, découpez le tas, passez-le au tamis et ajoutez la terre aux massifs.

Réaliser un massif *(suite)*

5 Retournez le sol avec une fourche-bêche en enfonçant complètement les dents. Retirez les débris, les vieilles racines, les pierres et brisez les grosses mottes. Travaillez le sol afin d'obtenir une texture friable.

6 Avec une bêche, étendez une couche de 5 cm de matières organiques (fumier de ferme bien décomposé ou compost de jardin) sur toute la surface du massif. Incorporez-la dans le sol et mélangez bien.

7 Si le sol est lourd ou peu drainant, étendez une couche de 8 cm de sable grossier ou de gravier fin et incorporez-la dans le sol avec une bêche sur une profondeur de 15 cm. Cela favorise le drainage autour des racines.

8 Avec un râteau, retirez les pierres, racines ou débris restants et remontés à la surface. Puis, avec le dos du râteau, aplanissez la surface du sol en supprimant les trous et les buttes.

9 Afin de les disposer au mieux, placez les plantes encore en pots sur le sol. Pour un excellent agencement, tenez compte de la taille adulte, de la couleur du feuillage et de la floraison, et de l'intérêt saisonnier de chaque plante.

Astuce

Pour éviter que la terre se déverse sur la pelouse, formez une bordure avant la plantation et vérifiez avec un niveau à bulle qu'elle est à bonne hauteur.

Les finitions

Pour mettre en valeur vos plantations et leur donner une note d'élégance, des paillis et des bordures sont souvent utiles.

Bordure végétale

On s'étonne toujours de voir combien des bordures soignées donnent un bel aspect au jardin. Pour parfaire le tracé d'une pelouse, coupez soigneusement après chaque tonte les bords des massifs avec des cisailles à gazon. Redessinez si besoin les lignes à l'aide d'un dresse-bordure. Des plantes débordant sur une pelouse lui donnent une allure naturelle mais, à la longue, elles peuvent l'abîmer.

Bordure rigide

Avec certains matériaux durs, on obtient des bordures plus faciles d'entretien. Près de celles-ci, pour mieux maintenir la forme des massifs, placez des couvre-sol. Dans les parties naturelles ou formelles et dans les zones où l'herbe pousse difficilement, comme à l'ombre ou le long d'étroites allées, un dallage est une excellente solution.

Bordure en briques Dans une allée, voire entre un massif et une pelouse, ou même le long d'une allée en gravier, la brique est un élément traditionnel se mariant bien aux plantations.

Bordure en pavés Pour obtenir un bel effet naturel, posez un dallage le long d'un massif. Laissez des plantes, comme la lavande, déborder : elles adoucissent la bordure.

Bordure en bois Pour retenir la terre d'un massif, une bordure en bois est pratique. Cachez-la en partie sous des plantations pour mieux l'intégrer et traitez le bois contre l'humidité.

Les avantages du paillage

Le paillage maintient le sol frais, réduit les corvées de désherbage et donne même une note décorative. Il peut apporter des matières organiques qui améliorent la fertilité et favorisent la croissance des plantes. Il existe diverses sortes de paillis, plus ou moins adaptées aux situations et aux plantations. Évitez les couches trop épaisses – 3 cm est l'idéal – et ne recouvrez pas la couronne des plantes. On étend en général le paillis en mars.

Matières organiques Le compost de jardin et le fumier bien décomposé sont parfaits, car ils favorisent la croissance des plantes, améliorent le sol et maintiennent la fraîcheur.

Fibre de coco Légère, facile à étaler, la fibre de coco se décompose, enrichissant le sol. Mais elle est facilement emportée par le vent, les animaux ou les oiseaux, et peut être inesthétique.

Gravier Très bon marché et durable, le gravier maintient la fraîcheur en été et protège les plantes sensibles, comme les alpines, d'un excès d'humidité hivernale. Il est assez lourd à étaler.

Paillis décoratifs Verres colorés, coquillages et ardoises sont parfaits pour les potées. Ils maintiennent la fraîcheur de la terre et réduisent le développement des mauvaises herbes.

Géotextiles Étendues avant la plantation, ces membranes poreuses empêchent les mauvaises herbes de pousser. Mais, une fois posées, il est plus difficile de replanter.

Écorce de pin Très léger, organique, efficace pour lutter contre les mauvaises herbes, ce paillis est très utilisé, mais il se décompose lentement et peut consommer l'azote précieux du sol.

Faire son propre compost

Faire son compost avec les déchets de cuisine et de jardin est une méthode de recyclage écologique et durable, d'autant qu'un tel paillis maintient la fraîcheur et enrichit le sol.

Divers types de silos à compost Pour faire son compost, le plus simple est de le mettre en tas, mais cela n'est pas toujours esthétique et on fait plus vite un meilleur compost avec un silo. Les silos les plus simples sont des caissons métalliques ou en plastique ondulé dans lesquels on empile les déchets. Les coffres en bois sont moins laids. On peut les faire soi-même, mais il existe aussi des produits préfabriqués en lattes de bois, parfois à claire-voie, facilitant la circulation de l'air. Efficaces, légers, bon marché, les silos en plastique *(ci-contre)* sont aussi très utilisés.

Remplir le silo On utilise presque toutes les matières végétales, et plus leur variété est grande, meilleur sera le compost. La proportion de matières sèches par rapport aux matières vertes, riches en azote, est importante : comptez deux fois plus de matières sèches (brindilles, papier) que de matières vertes (herbes, déchets de cuisine). Mélangez les coupes de gazon au bois de taille ou au papier déchiqueté, car une couche d'herbe épaisse empêche la circulation de l'air. Coupez en petits morceaux les gros déchets de taille ; écartez les herbes montées en graine et les mauvaises herbes vivaces résistantes. Placez une couche épaisse de brindilles au fond du silo, puis ajoutez les matières en couches successives. Étendez entre les couches un peu de fumier de ferme pour accélérer le processus de décomposition.

Matières végétales riches en azote et en eau :
- Déchets de tonte
- Déchets de cuisine
- Feuilles
- Déchets herbacés de vivaces
- Déchets herbacés de taille
- Fruits
- Déchets de plants à massif

Matières sèches riches en carbone, favorisant la circulation de l'air :
- Brindilles, déchets de plantes ligneuses
- Papier déchiqueté et carton
- Copeaux de bois non traités
- Tiges de plantes herbacées
- Écorces de pin

Étendez matières sèches et matières vertes sur le tas de compost.

Accélérer le processus de décomposition Le fumier, riche en azote, contient des micro-organismes favorisant la décomposition. Pour obtenir rapidement du compost, ajoutez-en ou utilisez un activateur de compost spécifique. Retournez fréquemment le tas : cela favorise une décomposition plus complète.

Astuce

Les matières vertes, comme les tontes de pelouse, trop humides, riches en azote, donnent vite au tas de compost une mauvaise odeur. Mélangez-les à des couches de matières sèches, plus grossières, et retournez régulièrement le tas.

Planter une vivace

Les vivaces sont des plantes herbacées qui repoussent chaque année. Elles ont souvent une longue durée de vie. Pour s'établir et prospérer, elles exigent une plantation soigneuse.

1 Placez sur le sol la plante en pot, dans un endroit adapté, en évitant de la mettre trop près d'autres plantes. Avant la plantation, pour assurer une bonne reprise, détrempez bien le substrat du pot.

2 Avec une bêche, faites un trou plus large et plus profond que le pot. Apportez au fond des matières organiques, comme du compost de jardin, et mélangez à la terre. Avant de planter, versez un peu d'eau dans le trou.

3 Retirez soigneusement la plante du pot. Si elle est à l'étroit, avec les racines enserrant trop la motte, démêlez-les doucement. Placez la plante dans le trou, un peu plus profondément qu'elle ne l'était dans le pot.

4 Remplissez le trou autour de la motte, tassez et assurez-vous que la plante tient bien. Évitez de laisser une bosse autour du pied, mais placez de préférence la plante au milieu d'une cuvette peu profonde. Arrosez bien.

Planter un arbre

Planter un arbre paraît simple, mais ces végétaux à durée de vie longue demandent une plantation soigneuse et des soins appropriés pour développer tout leur potentiel.

1 Avant de planter, détrempez soigneusement la motte de racines dans le pot. Cela permet de compenser la perte en eau subie pendant la plantation et favorise une bonne reprise.

2 Avec une bêche, creusez un trou trois fois plus large que le diamètre du pot et profond de 30 cm (l'activité des racines se concentre surtout dans la partie supérieure du sol). Ameublissez légèrement le fond et les parois du trou.

3 Vérifiez que le trou est à bonne profondeur en mettant le pot dedans et en plaçant un bambou dessus – il doit reposer sur les deux côtés du trou et sur la motte. Ajoutez ou retirez, si besoin, de la terre du trou.

4 Retirez doucement la motte du pot – ce dernier doit s'enlever facilement, sans abîmer les racines. Pour favoriser l'enracinement de l'arbre, démêlez soigneusement quelques grosses racines entourant la motte.

Planter un arbre *(suite)*

5 Placez l'arbre dans le trou. Enfoncez un solide tuteur près du tronc, incliné à 45° par rapport à la motte des racines pour éviter de les abîmer. Vérifiez qu'il est bien orienté face aux vents dominants.

6 Remplissez le trou de terre, en la travaillant autour des racines. N'apportez pas de matières organiques, sauf en sol pauvre ou sableux, pour inciter les racines à rechercher les matières nutritives. Tassez doucement.

7 Fixez l'arbre au tuteur avec une attache, sans serrer, à environ 45 cm du sol pour laisser la tige ployer sous le vent. Contrôlez régulièrement l'attache et, pour ne pas abîmer l'écorce, desserrez-la à mesure que l'arbre grandit.

8 Arrosez bien après la plantation et au cours des deux premières années, par temps sec. Étendez autour de l'arbre un paillis de compost de jardin bien décomposé de 8 cm d'épaisseur, à 15 cm au moins du tronc.

9 Les deux ou trois années suivantes, supprimez le bois abîmé ou les branches mal placées (qui se croisent ou frottent les unes contre les autres). Coupez près du tronc pour ne pas laisser de moignon.

Planter un arbuste

Les arbustes forment la charpente du jardin : ils apportent une structure, des fleurs et de beaux feuillages. Avant de planter, vérifiez sur l'étiquette les exigences de la plante concernant la nature du sol et l'emplacement.

Astuce

Après la plantation, répandez au printemps un engrais en surface. Des arrosages, ou la pluie, l'aideront à pénétrer.

1 Détrempez soigneusement la plante dans son pot. Avec une bêche, creusez un trou environ deux à trois fois plus grand que le pot. Ôtez les débris de racines, les grosses pierres, et ameublissez le sol au fond du trou avec une fourche-bêche.

2 Pour vérifier que le trou est à la bonne profondeur, placez un bambou au-dessus du pot – il doit reposer sur les côtés du trou et le dessus de la motte. Placez la plante dans le trou, en mettant en évidence sa partie la plus belle.

3 Retirez le pot : il doit s'enlever facilement, sans abîmer les racines. Démêlez quelques racines autour de la motte. En sol pauvre, enrichissez la terre avec du compost de jardin. Remplissez le trou autour de la motte.

4 Tassez légèrement. Pour faciliter l'arrosage, placez la plante au milieu d'une cuvette peu profonde. Étendez un paillis de matières organiques en évitant le pourtour immédiat des racines. Arrosez abondamment.

Planter une grimpante

Les grimpantes (clématite, glycine, etc.) sont très utiles dans un petit jardin pour utiliser au mieux l'espace : elles donnent une note verticale sans trop prendre de place. Elles recouvrent rapidement des clôtures ou des structures peu esthétiques.

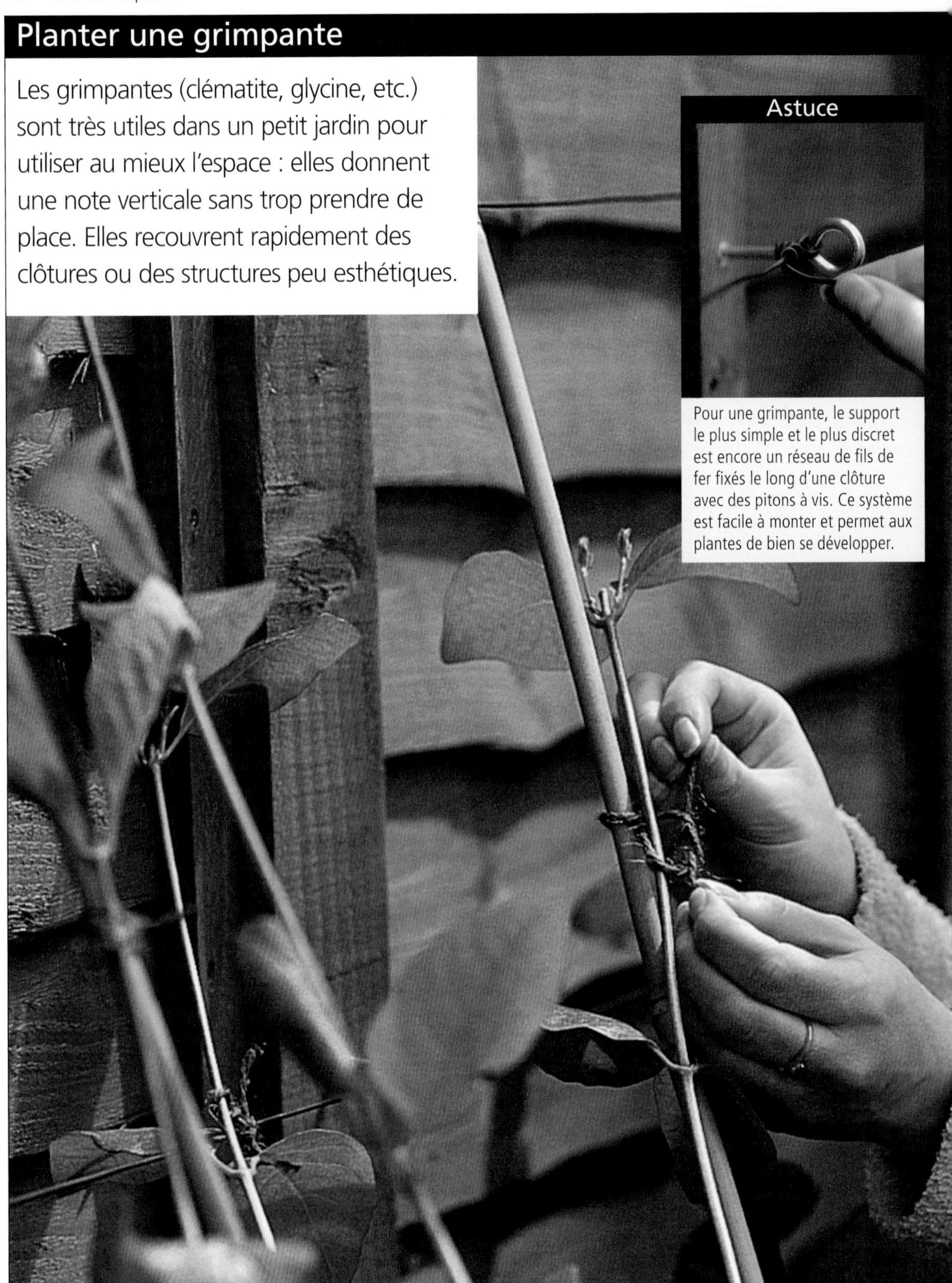

Astuce

Pour une grimpante, le support le plus simple et le plus discret est encore un réseau de fils de fer fixés le long d'une clôture avec des pitons à vis. Ce système est facile à monter et permet aux plantes de bien se développer.

1 Creusez un trou deux fois plus grand que la motte, à 30-40 cm de la clôture. Pour servir de support et assurer une bonne couverture, faites un éventail avec des bambous enfoncés dans le sol en direction de la clôture.

2 Vérifiez que la motte est bien humide et placez la plante dans le trou en la dirigeant vers la clôture. Retirez soigneusement le pot et ses tuteurs. Séparez les différentes tiges poussant à la base du plant.

3 Remplissez le trou avec de la terre enrichie de matières organiques (du compost de jardin, par exemple). Tassez légèrement. Pour faciliter l'arrosage et favoriser la reprise, creusez autour de la plante une cuvette peu profonde.

4 Sélectionnez les tiges à fixer. Avec une ficelle de jardin, attachez-en une ou deux par bambou. Pour maintenir la fraîcheur et lutter contre les mauvaises herbes, étendez un paillis de matières organiques ou d'écorce de pin.

Semer les annuelles en place

Certaines annuelles rustiques, comme le pavot de Californie ou les capucines, peuvent être semées directement en place. Cela évite le dérangement des racines au repiquage. Ces plantes poussent vite et la floraison estivale est assurée.

Astuce

La terre fine d'une couche attire les chats et les jeunes semis sont souvent abîmés par les oiseaux. Pour éviter ces désagréments, protégez-les avec des petites branches enfoncées dans le sol.

1 Pour le semis, choisissez un coin dégagé. Retournez le sol, en brisant les grosses mottes, puis retirez au râteau les pierres et les mauvaises herbes. Travaillez le sol pour obtenir une couche fine et régulière.

2 À la surface du sol, pour mieux localiser les semis, faites des sillons (petites lignes en creux pour accueillir les graines) avec un piquet ou un bambou. Les mauvaises herbes poussent rarement en ligne droite.

3 Placez les graines dans la paume de votre main et, du pli de la main, semez-les délicatement en passant le long du rang. Ne semez jamais trop dense. Semez les grosses graines en les posant dans les rangs une par une.

4 Recouvrez largement de terre fine et, pour ne pas déranger les graines, arrosez avec un arrosoir à pomme fine. Maintenez la couche fraîche et supprimez les mauvaises herbes. Lorsque les jeunes semis apparaissent, éclaircissez-les.

Semer les annuelles rustiques

Bien qu'on puisse semer en place certaines annuelles rustiques, il est préférable et plus sûr de les semer en pots sous abri (sous châssis, en serre) et de les repiquer ensuite au jardin.

Astuce

Identifiez vos semis par des étiquettes en utilisant une encre indélébile : indiquez le nom de la plante et la date du semis.

1 Remplissez d'un bon substrat de semis un pot neuf ou propre de 9 cm de diamètre, jusqu'à 2-3 cm du bord. Tassez légèrement pour obtenir une surface régulière.

2 Humidifiez le substrat avec un arrosoir à pomme très fine, en prenant soin de ne pas trop éclabousser. On peut aussi placer les pots dans un plateau rempli d'eau jusqu'à ce que le substrat soit humide. Les retirer ensuite.

3 Semez régulièrement. Les grosses graines sont faciles à semer. Pour les plus petites, servez-vous de la paume de la main. Recouvrez certaines semences d'une fine couche de compost. Suivez les instructions fournies sur le paquet.

4 Lorsque les graines ont germé et que les jeunes semis ont quelques feuilles, endurcissez-les quelques semaines en plaçant les pots à l'extérieur pendant la journée. Puis repiquez-les dans le jardin.

Idées de plantation

Les exemples présentés dans ce chapitre proposent d'excellentes associations de plantes pour toute saison. Ils vous aideront à composer de splendides massifs.
Les pictogrammes ci-dessous, utilisés dans les pages suivantes, donnent les exigences culturales des plantes.

Légendes des pictogrammes

🏆 Plante ayant reçu un prix ou une distinction pour ses qualités culturales ou ornementales

Nature du sol

- Sol drainé
- Sol frais
- Sol humide

Exposition

- Soleil
- Mi-ombre
- Ombre

Rusticité

- ❄❄❄ Plante rustique
- ❄❄ Plante de pleine terre demandant un climat doux ou une situation abritée
- ❄ Plante nécessitant une protection contre le gel en hiver
- Plante gélive ne supportant pas des températures inférieures à 0 °C

Jardin de gravier au soleil

Placé dans un coin ensoleillé, un jardin de gravier permet de cultiver bien des plantes intéressantes : alpines, aromatiques, plantes à feuillage argenté, quelques graminées. Toutes apprécient le gravier qui protège leurs tiges de l'humidité tout en maintenant leurs racines fraîches et humides. Le gravier se réchauffe vite en journée et retient la chaleur pendant la nuit.

Éléments de base

Dimensions 3 x 2 m

Types de plantes Aromatiques, plantes basses, annuelles, bulbes, plantes à feuillage gris

Sol Pauvre, bien drainé

Situation Dégagée, au soleil, pas trop exposée

Les plantes pour réussir

- 2 *Parahebe perfoliata*
- 1 *Helictotrichon sempervirens*
- 1 *Thymus pulegioides* 'Bertram Anderson'
- 1 *Santolina chamaecyparissus*
- 1 *Aurinia saxatilis* 'Variegata'
- 1 *Rosmarinus officinalis* groupe Prostratus

Plantation et entretien

Retournez la terre. Retirez les gravats, les grosses pierres et les mauvaises herbes. Traitez les mauvaises herbes vivaces comme le liseron, plus difficiles ensuite à éradiquer. Enrichissez le sol d'un compost de jardin bien décomposé. Pour un bon drainage, ajoutez du gravier sur une profondeur d'un fer de bêche au moins.

Disposez des éléments décoratifs, comme des pierres ou des morceaux de bois. Espacez les plantes. Ajoutez des gravillons dans le trou de plantation et plantez un peu au-dessus de la surface du sol. En étendant le gravier, mettez-en sur la couronne des plants. Arrosez en période sèche.

Parahebe perfoliata
❄❄ 💧 ☼ 🏆

Helictotrichon sempervirens
❄❄❄ 💧 ☼ 🏆

Thymus pulegioides 'Bertram Anderson' ❄❄❄ 💧 ☼ 🏆

Santolina chamaecyparissus
❄❄ 💧 ☼ 🏆

Aurinia saxatilis 'Variegata'
❄❄❄ 💧 ☼

Rosmarinus officinalis groupe Prostratus ❄❄ 💧 ☼

Jardin de curé

Ce style de plantation très prisé utilise surtout des vivaces à fleurs de façon libre et naturelle. Les fleurs sont en général de couleur pastel, quelques teintes vives n'interviennent que pour donner du relief. Les plantes favorites sont les delphiniums, les digitales *(Digitalis)*, les molènes *(Verbascum)*, *Penstemon* et quelques ligneux comme les lavandes *(Lavandula)* et les rosiers. Ces jardins sont splendides en été, quand toutes les plantes fleurissent à profusion, mais ils réclament un peu d'entretien.

Éléments de base

Dimensions 2 x 1,50 m

Type de plantes Association de vivaces herbacées

Sol Bien drainé

Situation Au soleil, à l'abri du vent

Les plantes pour réussir

- 3 *Delphinium grandiflorum* 'Summer Blues'
- 3 *Verbascum* x *hybridum* 'Snow Maiden'
- 3 *Delphinium* 'New Zealand Hybrids'
- 3 *Geum* 'Blazing Sunset'
- 3 *Penstemon digitalis* 'Husker Red'
- 3 *Digitalis purpurea*

Plantation et entretien

Préparez le massif avant la plantation, en apportant un fumier bien décomposé. Si le drainage est mauvais, ajoutez du gravier. Plantez les vivaces au printemps, de préférence par trois : on obtient vite un résultat correct, et dans une plantation naturelle, le chiffre impair est de rigueur. Plantez par petits rangs, en plaçant les grandes plantes au fond, mais sans être trop rigoureux, car l'ensemble doit rester naturel. Les delphiniums ont parfois besoin de tuteur : utilisez un bambou ou une rame à pois. En automne, après la floraison, ou au printemps, coupez les vieilles tiges et étendez du fumier.

Delphinium grandiflorum 'Summer Blues'

Verbascum x *hybridum* 'Snow Maiden'

Geum 'Blazing Sunset'

Delphinium 'New Zealand Hybrids'

Penstemon digitalis 'Husker Red'

Effets de feuillage

Un massif surélevé est facile d'entretien et se réalise presque partout. Pour une conception très contemporaine, choisissez des plantations colorées et stylisées, d'intérêt permanent. Enrichissez la palette de textures et de couleurs en prenant des plantes qui se complètent, sachant que l'essentiel est ici apporté par les feuillages.

Éléments de base

Dimensions 1 x 1 m

Types de plantes Des plantes peu vigoureuses aux exigences similaires

Sol Humide, mais bien drainé

Situation Au soleil, à l'abri des vents forts et desséchants

Les plantes pour réussir

- 1 *Euphorbia amygdaloides* 'Purpurea'
- 1 *Sedum spectabile*
- 1 *Carex comans* 'Frosted Curls' ou *Molinia caerulea* subsp. *caerulea* 'Variegata'
- 3 *Ophiopogon planiscapus* 'Nigrescens'
- 1 *Heuchera* 'Plum Pudding'

Plantation et entretien

Un massif surélevé doit disposer d'un bon drainage ; à défaut, les plantes meurent. Pour que l'eau s'écoule mieux, placez au fond une couche de polystyrène ou de tessons de poterie. Dans un petit massif, utilisez un substrat à base de terre végétale enrichi de fumier décomposé. Dans un grand massif, prenez une bonne terre végétale enrichie d'un compost de jardin bien décomposé. Laissez la terre se reposer quelques jours. Placez les petites plantes, comme *Ophiopogon*, au bord du massif, et les grandes, comme l'euphorbe, au milieu. Arrosez bien. Vérifiez que le substrat ne se dessèche pas et désherbez régulièrement. En automne, coupez les pousses fanées, dont les inflorescences de *Sedum*.

Euphorbia amygdaloides 'Purpurea'

Sedum spectabile

Carex comans 'Frosted Curls'

Ophiopogon planiscapus 'Nigrescens'

Heuchera 'Plum Pudding'

À essayer aussi

Molinia caerulea subsp. *caerulea* 'Variegata'

Massif d'arbres et d'arbustes

Réunis en massif, arbres et arbustes créent de splendides associations. Ils réclament moins d'entretien que les vivaces, restent beau en hiver (et gardent même parfois leur feuillage). Ils varient en port, dimensions, couleur et texture de feuillage. Certains ont de splendides floraisons, d'autres présentent un intérêt hivernal. Tous prospèrent si l'on respecte leurs exigences culturales.

Éléments de base

Dimensions 3 x 2,50 m

Types de plantes Arbres et arbustes, de préférence à port compact

Sol Acide, frais, mais bien drainé

Situation À l'abri, au soleil

Les plantes pour réussir

- 1 *Aucuba japonica* 'Picturata'
- 1 *Cotinus* 'Grace'
- 1 *Phormium tenax* 'Atropurpureum'
- 1 *Grevillea juniperina*
- 1 *Magnolia grandiflora* 'Goliath'
- 1 *Pittosporum tobira* 'Nanum'

Plantation et entretien

Travaillez le sol en profondeur en apportant un compost de jardin décomposé. Espacez les plants car, une fois établis, ils sont difficiles à déplacer. Plantez le magnolia (le plus grand de tous) au fond du massif. *Aucuba*, à feuilles persistantes tachées de jaune, est un beau point de mire : donnez-lui une position centrale. Son port arrondi contraste avec celui de *Phormium*, tout en pointe. Au premier rang, placez les *Pittosporum* et *Grevillea*, moins vigoureux (mais exigeant un sol acide). *Cotinus* équilibre la composition : ses feuilles pourpres s'assortissent à celles de *Phormium*. À la plantation, arrosez bien et tassez. Par la suite, il faudra tailler, notamment les *Grevillea* et *Cotinus*, souvent envahissants.

Aucuba japonica 'Picturata'
❄❄❄ ◑ ○ ☼

Cotinus 'Grace'
❄❄❄ ◑ ○ ☼

Phormium tenax 'Atropurpureum'
❄❄ ◑ ○ ☼

Grevillea juniperina
❄❄ ○ ☼

Magnolia grandiflora 'Goliath'
❄❄❄ ◑ ○ ☼

Pittosporum tobira 'Nanum'
❄❄ ○ ☼

Une scène de printemps aux couleurs chaudes

L'été n'est pas la seule saison à jouir de tons éclatants. Bulbes et vivaces apportent des coloris similaires à la fin du printemps, mais l'effet est différent. Les rouges, orange et jaunes des tulipes, des lupins précoces, de *Doronicum* et des euphorbes s'associent aux jeunes feuillages pour donner un spectacle d'exception.

Ces tonalités vives forment de jolis contrastes et de belles associations avec les blancs, bleus et jaunes frais, qu'on trouve à profusion en cette saison.

Éléments de base

Dimensions 2 x 2 m

Types de plantes Vivaces à floraison précoce, à jeune feuillage décoratif, bulbes (de tulipes, en particulier)

Sol Tout sol fertile et frais

Situation À l'abri du soleil direct

Les plantes pour réussir

- 20 *Tulipa* 'Ballerina'
- 20 tulipes de formes différentes
- 5 *Polygonatum* x *hybridum*
- 5 *Euphorbia griffithii* 'Fireglow'
- 5 *Foeniculum vulgare* 'Purpureum' (tout juste visible)

Plantation et entretien

Préparez le massif en apportant un bon compost de jardin. Placez d'abord les vivaces, en mettant au fond les plus grandes, comme les sceaux-de-Salomon *(Polygonatum)*. Associez les euphorbes aux fenouils *(Foeniculum)*, en laissant assez d'espace pour quelques taches de tulipes. Plantez les bulbes en huit groupes de cinq, à une profondeur égale à trois fois leur taille. Pour obtenir un effet plus puissant, évitez de mélanger les variétés de tulipes.

L'euphorbe, en particulier, ne supporte pas bien la sécheresse et le sceau-de-Salomon est sensible aux larves de tenthrède.

Tulipa 'Ballerina'
❄❄❄ 💧 ◊ ☼ 🏆

Polygonatum x *hybridum*
❄❄❄ 💧 ☼ 🏆

Tulipe (rouge rosé)
❄❄❄ 💧 ◊ ☼

Euphorbia griffithii 'Fireglow'
❄❄❄ 💧 ☼

Des feuillages luxuriants pour l'ombre

Dans une cour ou un coin de terrasse à l'ombre, un massif surélevé planté dans un esprit actuel a un effet spectaculaire, assez exotique. Les plantes à feuillage se plaisent en général en situation ombragée, et une association d'arbustes persistants et de vivaces compose une scène d'un intérêt permanent. Un grand bambou *(Phyllostachys)*, balancé par la brise, donne du dynamisme ; pour la clarté, misez sur des plantes à feuilles panachées, comme les hostas, et des murs peints en clair.

Éléments de base

Dimensions 2,50 x 1,50 m

Types de plantes Plantes à feuillage luxuriant

Sol Sol frais et fertile

Situation Mi-ombragée, à l'abri

Les plantes pour réussir

- 2 *Hosta* 'Francee'
- 1 *Hebe salicifolia*
- 3 *Fatsia japonica*
- 1 *Phyllostachys nigra*
- 1 *Miscanthus sinensis* 'Variegatus'
- 3 *Ophiopogon planiscapus* 'Nigrescens'
- 2 *Hedera helix* (lierres)

Plantation et entretien

Vérifiez bien le drainage : le massif ne doit pas se détremper. Choisissez un bon substrat et ajoutez du fumier décomposé avant la plantation. Placez au fond les grandes plantes (le bambou fait meilleur effet dans un coin) et, au premier plan, les hostas, *Ophiopogon* et les lierres. Les feuilles découpées de *Fatsia* forment un beau contraste avec les longues lames à bords blancs de *Miscanthus*. Étendez sur le sol une couche de galets blancs ou gris, et arrosez bien les plantes pour ne pas qu'elles manquent d'eau pendant leur établissement. L'entretien est minime : coupez les vieilles pousses de vivaces en novembre ou au printemps, et surveillez les limaces.

Hosta 'Francee'

Hebe salicifolia

Fatsia japonica

Phyllostachys nigra

Miscanthus sinensis 'Variegatus'

Ophiopogon planiscapus 'Nigrescens'

Jardins sur rue structurés

Les petits jardins sur rue se prêtent aux plantations bien ordonnées. Ils se composent de petites bordures de buis basses, aux formes simples (comme un carré), à l'intérieur desquelles on place un mélange d'annuelles ou de vivaces à fleurs ou feuilles colorées. On y plante un élément central, comme une cordyline, servant de point de mire. Le sol est recouvert d'une couche de gravier, qui permet de réduire les corvées de désherbage et donne au jardin un aspect soigné.

Éléments de base

Dimensions 1,50 x 1,50 m

Types de plantes Haies de buis basses, vivaces gélives de couleurs vives, plantes rustiques colorées

Sol L'idéal est un sol fertile, bien drainé, pas trop sec

Situation Une petite surface, structurée, de préférence au soleil

Les plantes pour réussir

- 5 *Pelargonium* (rouges)
- 3 *Deschampsia flexuosa* 'Tatra Gold'
- 2 *Phormium* 'Tom Thumb'
- 1 *Penstemon digitalis* 'Husker Red'
- *Buxus sempervirens* (suffisamment pour une bordure)
- 3 *Spiraea japonica* 'White Gold'

Plantation et entretien

Retournez le sol, en supprimant les mauvaises herbes, et apportez un fumier bien décomposé. Tassez et égalisez le sol avec un râteau. Pour former le cadre du massif, plantez d'abord les buis en les espaçant de 15-20 cm. Placez ensuite les autres plantes en formant des bandes de couleurs. Étêtez les pélargoniums en cours de saison ; en juin, taillez les buis et, si besoin, les spirées.
Au printemps, repiquez les pélargoniums gélifs et raccourcissez les tiges florales des *Penstemon*.

Pelargonium (rouge)

Deschampsia flexuosa 'Tatra Gold'

Phormium 'Tom Thumb'

Penstemon digitalis 'Husker Red'

Buxus sempervirens

Spiraea japonica 'White Gold'

Ambiance méditerranéenne

Choisissez un coin ensoleillé, à l'abri des vents froids, et prenez des plantes évoquant vos vacances en Méditerranée, iris, graminées, euphorbes, et des arbustes persistants, comme l'olivier. Ajoutez quelques aromatiques, comme la sauge et le romarin, et des bulbes à fleurs vives *(Allium)*. Des plantes gélives, des agaves par exemple, plantées dans des pots en terre, accentuent cette ambiance.

Éléments de base

Dimensions 3 x 3 m

Types de plantes Graminées, arbustes persistants à port soigné, iris, bulbes, aromatiques, succulentes, plantes semi-rustiques

Sol Tout sol bien drainé

Situation Au soleil, à l'abri ; de préférence, contre un mur

Les plantes pour réussir

- 3 *Iris* 'Jane Phillips'
- 1 *Olearia* x *haastii* (olivier)
- 3 *Euphorbia characias* subsp. *wulfenii*
- 5 *Allium hollandicum* 'Purple Sensation'
- 1 *Anemanthele lessoniana (Stipa arundinacea)*
- 1 *Bergenia cordifolia*
- 2 *Ballota pseudodictamnus*

Plantation et entretien

Retournez le sol. Apportez une bonne quantité de fumier. Si le sol est mal drainé, ajoutez du gravier. Placez les grandes plantes au fond du massif, à 30 cm au moins du mur. Plantez d'abord les arbustes et les vivaces, puis les bulbes. Placez les rhizomes d'iris en surface. Étendez du gravier et arrosez bien.

Une fois les iris fanés, coupez leurs tiges florales. Au printemps, rabattez à la base celles des euphorbes de la saison précédente, en évitant de toucher la sève toxique.

Iris 'Jane Phillips'

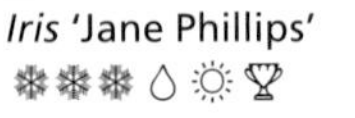

Olearia x *haastii* (olivier)

…rbia characacias subsp. *wulfenii*
❄ ◊ ☼ 🏆

Allium hollandicum 'Purple Sensation'
❄❄❄ ◊ ☼ 🏆

Anemanthele lessoniana
❄❄ ◊ ☼

Tapisserie d'aromatiques

Un massif d'aromatiques bien conçu est un délice pour les sens : elles sont belles à voir et les senteurs des feuillages et des fleurs apportent un intérêt complémentaire. Certaines sont aussi utiles en cuisine. Leurs feuilles panachées ou argentées les rendent attrayantes, même quand elles ne fleurissent pas. Ajoutez quelques aromatiques persistantes, comme la lavande *(Lavandula)* ou le romarin *(Rosmarinus)*.

Éléments de base

Dimensions 2 x 2 m

Types de plantes Herbes culinaires, comme le thym, l'origan, la marjolaine, la sauge, la ciboulette, le romarin, mais aussi certaines plantes médicinales, comme la lavande et la camomille

Sol Tout sol bien drainé, assez pauvre

Situation Au soleil, dégagée, mais pas trop exposée au froid

Les plantes pour réussir

- 10 *Origanum vulgare* 'Polyphant'
- 5 *Lavandula angustifolia* 'Twickel Purple' ou *Salvia officinalis* 'Icterina'
- 10 *Thymus doerfleri* 'Doone Valley'
- 10 *Thymus* x *citriodorus*
- 10 *Origanum vulgare* 'Aureum'

Plantation et entretien

Dessinez des motifs avec les plantes, comme dans un jardin brodé. Placez-les en rangs ou en bandes pour qu'elles s'assemblent mieux. La lavande étant la plus haute, plantez-la au fond du massif ou, s'il est rond, au centre. La sauge panachée *(Salvia officinalis* 'Icterina'*)* est aussi utilisée en cuisine. Plantez en lignes les aromatiques les moins grandes, en formant des contrastes.

Après la plantation, étendez du gravier sur le sol pour supprimer les mauvaises herbes et protéger les plantes de l'humidité hivernale.

Origanum vulgare 'Polyphant'
❄❄❄ 💧 ☼

Lavandula angustifolia 'Twickel Purple' ❄❄❄ 💧 ☼

Thymus doerfleri 'Doone Valley'
❄❄❄ 💧 ☼

Thymus x *citriodorus*
❄❄❄ 💧 ☼

Origanum vulgare 'Aureum'
❄❄❄ 💧 ☼ 🏆

À essayer aussi

Salvia officinalis 'Icterina'
❄❄ 💧 ☼ 🏆

Élégance d'automne

Au jardin, un massif présentant un beau spectacle automnal est un excellent atout. Après l'éblouissement de l'été, cette saison est souvent négligée, et pourtant, bien des plantes y sont à leur sommet. Certaines graminées ou vivaces à floraison tardive, comme *Sedum*, *Salvia*, *Kniphofia* et *Verbena*, s'associent parfaitement aux graines des plantes à floraison estivale, voire aux teintes automnales éclatantes des arbres et des arbustes caducs.

Éléments de base

Dimensions 3 x 3 m

Types de plantes Vivaces à floraison tardive, graminées, plantes à graines ou baies colorées

Sol Tout sol fertile, bien drainé

Situation Dégagée, au soleil, pas trop exposée

Les plantes pour réussir

- 3 *Stipa gigantea*
- 7 *Verbena bonariensis*
- 7 *Sedum* 'Herbstfreude'
- 5 *Calamagrostis brachytricha*
- 3 *Perovskia* 'Blue Spire'

Plantation et entretien

Dans ce type de massif, pour obtenir plus de fluidité, plantez de préférence en courbe. Mettez les stipas au fond du massif. Devant, plantez les délicates *Perovskia* et les *Calamagrostis brachytricha*. Ces graminées fleurissent tôt, mais, en automne, leurs graines sont d'un très joli brun. Associez-les aux *Sedum*, que vous aurez placés de préférence au premier rang, en dessinant de larges courbes pour apporter des teintes vives et faire contraste. Éparpillez les gracieuses *Verbena*, car leur transparence ne crée pas d'obstacle à la vue.

Pour récolter les graines, ne coupez qu'au printemps, avant la formation des nouvelles pousses.

Stipa gigantea

❄❄❄ ○ ◑ ☼ 🏆

Verbena bonariensis

❄❄ ○ ☼ 🏆

Sedum 'Herbstfreude'

❄❄❄ ○ ☼ 🏆

Calamagrostis brachytricha

❄❄❄ ◑ ○ ☼

Splendeur hivernale

En hiver, la neige et la glace recouvrent tout. Utilisez des plantes dont les teintes contrastent avec les tons dominants : caducs aux rameaux colorés, comme *Cornus* et *Salix*, conifères aux feuillages s'intensifiant avec les basses températures. Quelques plantes offrent aussi de belles floraisons, notamment les bruyères d'hiver *(Erica)* et des bulbes comme le perce-neige *(Galanthus)* et l'aconit à floraison hivernale *(Aconitum)*.

Éléments de base

Dimensions 3 x 3 m

Types de plantes Plantes d'intérêt hivernal

Sol Assez bien drainé, mais pas trop sec

Situation Assez dégagée, ensoleillée en hiver

Les plantes pour réussir

- 1 *Chamaecyparis lawsoniana* 'Elwoodii'
- 9 *Erica* x *darleyensis* 'Archie Graham'
- 5 *Cornus sanguinea* 'Winter Beauty'
- 1 *Pinus sylvestris* groupe Aurea
- 7 *Erica carnea* (à fleurs blanches)

Plantation et entretien

Placez *Chamaecyparis* au fond du massif – il formera un magnifique arrière-plan pour des couleurs plus vives. Le pin doré *(Pinus)* est aussi planté au fond, devant le premier. Regroupez les cornouillers *(Cornus)*, principalement au centre, comme pour ourler le devant du massif. Plantez les bruyères au pied pour boucher les trous, avec de la couleur. Ne mélangez surtout pas les tons.

Sur les cornouillers, les jeunes pousses ont les couleurs les plus vives : au bout de deux ans, rabattez chaque année les vieilles tiges d'un tiers. Après la floraison, rafraîchissez les bruyères d'hiver avec des cisailles.

Chamaecyparis lawsoniana 'Elwoodii' ❄❄❄ 💧 ◇ ☼ 🏆

Erica x *darleyensis* 'Archie Graham' ❄❄❄ 💧 ◇ ☼

Cornus sanguinea 'Winter Beauty' ❄❄❄ 💧 ☼

Pinus sylvestris groupe Aurea ❄❄❄ 💧 ◇ ☼ 🏆

Des potées toutes simples

Dans un petit jardin, les plantes en pots (ou autres contenants) sont indispensables. Sur une terrasse ou dans une cour, des potées de plantes à massif donnent toujours une note colorée et un arrière-plan d'arbustes en pots apporte un cadre permanent. Les potées permettent aussi de boucher des trous dans une plate-bande ou un massif trop ternes, voire à éclairer des murs ou des rebords de fenêtre.
Dans ce chapitre, des conseils vous sont prodigués pour choisir et entretenir les potées qui conviennent le mieux à votre jardin. Vous y trouverez également quelques idées pour chaque saison.
Se reporter aux légendes des pictogrammes p. 69.

Choisir le bon pot

Il existe dans le commerce une large gamme de pots et de contenants divers. Avant d'en acheter, quelques considérations doivent guider votre choix. Outre le style, la forme et la couleur du pot, prenez en compte également sa matière : chacune a ses avantages et ses inconvénients.

Pots en terre

Les pots en terre sont vernis ou non, colorés ou décorés, de couleur claire ou foncée. Les pots en terre orange sont parfaits pour créer une ambiance méditerranéenne.

Avantages Ils sont très esthétiques et apportent au jardin un élément durable, s'améliorant avec le temps et l'usure. On trouve presque toujours un pot en terre adapté à chaque situation. Ils sont aussi d'un assez bon rapport qualité-prix.

Inconvénients Beaucoup ne résistent pas au gel et sont parfois abîmés en hiver. Mieux vaut éviter de les mettre en situation exposée, car ils sont fragiles. L'argile cuite étant une matière poreuse, les plantes sèchent vite, surtout en été. Ces pots, lourds, sont souvent difficiles à déplacer.

Pots en métal

L'idée de fabriquer des pots en métal peut sembler récente, mais certains des plus beaux pots anciens sont en plomb. Le métal s'adapte aux situations les plus diverses. Les pots contemporains en zinc ou en acier galvanisé sont assez standardisés, à la différence des bacs en plomb qui se caractérisent par des formes classiques plus élaborées.

Avantages Les pots en métal durent longtemps, sont parfaits en situation exposée, mais parfois très lourds (notamment les pots en plomb). Ils sont aussi très élégants.

Inconvénients Ces pots sont chers et lourds, surtout les pots en plomb. Ils ne conviennent pas à certaines plantes et ne sont pas toujours à leur place dans un jardin naturel.

Pots en bois

Le bois est excellent pour les bacs : il est tendre, facile à former et supporte bien les intempéries s'il est traité. Il s'adapte à de nombreuses situations. Solide, il supporte aussi les mauvais traitements.

Avantages Tout en étant légers et faciles à déplacer, les contenants en bois sont résistants et durent longtemps. Ils sont très esthétiques et parfaits pour des situations exigeant de grands bacs.

Inconvénients Les bacs en bois de qualité sont chers, notamment ceux qui conviennent aux jardins structurés. Pour conserver un bel aspect, ils nécessitent un traitement régulier. Vérifiez que le bois utilisé est bien imputrescible.

Pots en pierre

Les pots et contenants en pierre font de splendides bacs d'ornement. Pour une ambiance japonaise, utilisez de préférence le granit. Les vieilles vasques en pierre sont parfaites pour les alpines et autres petites plantes.

Avantages Ces contenants sont très lourds (donc rarement renversés ou volés) et résistants. La pierre est belle et apporte un élément de permanence, surtout quand elle est colonisée par les mousses et les lichens.

Inconvénients Les vrais pots en pierre sont chers, surtout les pots anciens. On peut les remplacer par des pots en béton, dont le prix est plus abordable. Pour transporter le pot dans le jardin et le mettre en place, pensez toujours à son poids.

Pots en plastique

Pour fabriquer les pots, on utilise depuis longtemps le plastique. Il s'efforce d'imiter le bois, la terre cuite ou la pierre, de façon parfois peu convaincante. Au lieu du plastique, on utilise de plus en plus des résines.

Avantages Les pots en plastique sont légers, faciles à déplacer ou à transporter. Ils sont aussi plus robustes et résistent mieux au gel que ceux en terre. De plus, ils sont bien moins chers que ceux en pierre ou en plomb.

Inconvénients Ils n'ont pas le charme des matériaux traditionnels : des bacs en pierre, en plomb, ou même en terre cuite, ont plus de caractère que des pots en plastique. Ces pots vieillissent mal et leur durée de vie est courte. Légers, ils sont facilement renversés ou volés.

Composer des potées colorées

Pour avoir un beau jardin toute l'année, les potées sont sans égal. Suivez ces quelques directives très simples : elles vous permettront d'obtenir des scènes belles et durables.

1 Avant de planter en pot, ajoutez au substrat des hydrorétenteurs en granulés. Une fois gorgés d'eau, ils apportent aux plantes des réserves supplémentaires leur permettant de moins souffrir si on oublie de les arroser.

2 Placez les plantes choisies dans le pot pour avoir une idée de l'effet produit – vous pourrez ainsi faire facilement des changements. Lorsque vous êtes satisfait, retirez les plantes du pot et plantez-les.

3 Une fois les plantes en place, remplissez le pot de substrat jusqu'à 5 cm du bord afin de faciliter l'arrosage et de pouvoir étendre un paillis de gravier en surface.

4 Pour maintenir la fraîcheur en été et prévenir l'apparition des mauvaises herbes, étendez une couche de gravier de 2 cm d'épaisseur. On évite ainsi de renverser du substrat en arrosant et cela donne une belle finition.

Scène printanière

Les bulbes de printemps, de culture et d'entretien faciles, toujours très prisés, sont splendides en pots, en jardinières ou en pleine terre. On peut les utiliser en plantations permanentes mais aussi les arracher après la floraison. Une bonne sélection apporte des couleurs pendant une longue période : des premiers perce-neige, en février, jusqu'aux dernières tulipes, en juin. Composez des potées avec un même type de bulbes et regroupez celles-ci, ou faites des mélanges.

Éléments de base

Dimensions Pots en terre d'environ 15 cm de diamètre

Types de plantes Bulbes à fleurs

Substrat Bien drainé

Situation Au soleil, pas trop exposée au vent

Les plantes pour réussir

- 6 *Hyacinthus orientalis* 'Ostara'
- 12 *Narcissus* 'Sweetness'
- 10 *Iris winogradowii*
- 12 *Iris reticulata*
- 6 *Iris* 'Katharine Hodgkin' ou *Muscari armeniacum*

Plantation et entretien

Les bulbes de printemps sont proposés secs et nus, à l'automne, pendant la période de repos. Choisissez des bulbes sains et fermes, et plantez-les dès que possible. Pour chaque type de bulbe, respectez la profondeur de plantation en utilisant un terreau de plantation bien drainé et en ajoutant une couche de gravier au fond du pot. Placez vos potées dans un endroit abrité. Lorsque les bulbes démarrent, arrosez davantage.

Une fois les fleurs fanées, arrachez les bulbes ou laissez le feuillage jaunir et faner avant. Les bulbes arrachés sont séchés, puis replantés en automne, en pots ou en pleine terre.

Hyacinthus orientalis 'Ostara'
❄❄❄ 💧 💧 ☼ 🏆

Narcissus 'Sweetness'
❄❄❄ 💧 💧 ☼ 🏆

Iris winogradowii
❄❄❄ 💧 💧 ☼ 🏆

Iris reticulata
❄❄❄ 💧 💧 ☼ 🏆

Iris 'Katharine Hodgkin'
❄❄❄ 💧 💧 ☼ 🏆

À essayer aussi

Muscari armeniacum
❄❄❄ 💧 💧 ☼ 🏆

Ambiance tropicale

Pour obtenir jusqu'aux premiers gels un remarquable effet exotique, mettez en pots quelques espèces subtropicales. Faites un mélange de feuillages et de fleurs éclatantes en utilisant une palette limitée de tons chauds, en parfaite harmonie avec un pot en terre. Placez les grandes plantes au centre ou au fond du pot. Cette potée est rehaussée par un fond neutre, qui fait ressortir les textures et les couleurs.

Éléments de base

Dimension Pot en terre, carré ou rond, de 60 x 60 cm
Type de plantes Plantes subtropicales à feuillage et fleurs remarquables
Substrat Bon terreau de plantation
Situation À l'abri, au soleil

Les plantes pour réussir

- 1 *Canna* 'Musifolia'
- 3 *Begonia fuchsioides*
- 3 *Crocosmia* x *crocosmiiflora* 'Star of the East'
- 1 *Pelargonium tomentosum*
- 1 *Isoplexis canariensis*
- 2 *Canna* (hybride orange)

Plantation et entretien

Pour bien voir l'effet produit, disposez les plants en godets dans le pot avant de les installer. Faites déborder le feuillage parfumé du pélargonium sur les bords du pot. Avant de remplir de substrat, étendez au fond du pot une bonne quantité de gravier. Après la plantation, arrosez bien et mettez le pot en serre ou à l'intérieur, dans un endroit frais et lumineux : vous le sortirez une fois écarté tout risque de gel. Nourrissez régulièrement les plantes en été et maintenez le substrat humide. Une fois les fleurs du canna fanées, étêtez-le pour favoriser de nouvelles floraisons. En automne, avant les premiers gels, placez le pot à l'abri.

Canna 'Musifolia'

Begonia fuchsioides

Crocosmia x *crocosmiiflora* 'Star of the East'

Pelargonium tomentosum

Isoplexis canariensis

Canna (hybrides orange)

Contrastes de couleurs

Des contrastes de couleurs saisissants, mais contenus, sont parfaits pour un effet spectaculaire. L'attention aux formes et aux textures est aussi fondamentale. Les feuillages panachés de jaune s'harmonisent ici avec un pot verni foncé, alors que le rouge vif des pétunias nains *(Calibrachoa)* apporte une dissonance. Quelques notes de rouge sur les feuilles linéaires des graminées *(Hakonechloa)* créent le lien avec les autres plantes. La pervenche *(Vinca)* rampante équilibre le port arqué de la graminée et se mêle avec grâce aux pétunias débordant du pot.

Éléments de base

Dimensions Pot verni d'environ 40 cm de diamètre

Type de plantes Mélange de plantes à massif et de vivaces de jardin

Substrat Bon terreau de plantation

Situation Au soleil, à l'abri

Les plantes pour réussir

- 2 *Hakonechloa macra* 'Aureola'
- 4 *Calibrachoa* 'Million Bells Cherry'
- 4 *Calibrachoa* 'Million Bells Red'
- 4 *Vinca minor* 'Illumination'

Plantation et entretien

Pour le drainage, étendez une bonne couche de gravier au fond du pot. Remplissez ce dernier de substrat. Installez les graminées au centre, puis plantez autour les pervenches et les pétunias nains. Ces derniers sont gélifs mais, placés au soleil, ils fleuriront longtemps, à condition de bien les nourrir et les arroser. Dans un coin plus ombragé, remplacez les pétunias par une impatience *(Impatiens)* rouge ou un bégonia à massif. Une fois les plantes à massif abîmées par le gel, repiquez les vivaces au jardin ou gardez-les dans le pot pour les réutiliser l'année suivante.

Hakonechloa macra 'Aureola'
❄❄❄ 💧 ☼ ◑ ● 🏆

Calibrachoa 'Million Bells Cherry'
❀ 💧 ☼

Calibrachoa 'Million Bells Red'
❀ 💧 ☼

Vinca minor 'Illumination'
❄❄❄ 💧 💧 ☼ ◑ ●

Le feu et la glace

L'association de fleurs rouge flamme et de feuilles bleu argent donne du charme à cette composition automnale. La floraison est le fait des cyclamens de Naples, assez rustiques en situation abritée et qui fleurissent à profusion de l'automne aux premiers gros gels. Au printemps, des crocus à fleurs blanches prennent le relais. Des *Senecio* argentés, des touffes de fétuques bleues *(Festuca glauca)* et un genévrier *(Juniperus)* à port érigé complètent la scène. Une paire assortie de ces potées fait bel effet de part et d'autre d'une porte.

Éléments de base

Dimensions Pot en terre d'environ 40 cm de diamètre

Types de plantes Persistants et plantes à massif d'hiver

Substrat Bon terreau de plantation

Situation Un coin abrité, à mi-ombre

Les plantes pour réussir

- 1 *Juniperus chinensis* 'Stricta'
- 5 *Senecio cineraria*
- 3 *Cyclamen hederifolium*
- 2 *Festuca glauca* 'Elijah Blue'

Plantation et entretien

Placez une couche de gravier au fond du pot et remplissez-le aux trois quarts de substrat. Placez le genévrier au centre, vers le fond du pot, et utilisez les graminées pour adoucir les bords. Associez les cyclamens aux *Senecio* en les plantant devant. Si vous ajoutez des crocus, plantez-les dès maintenant ; ils ne pousseront qu'au printemps pour remplacer les cyclamens tués par le gel. Ajoutez du substrat, arrosez et placez le pot à l'abri, à bonne lumière. Maintenez le substrat humide, sans excès. En hiver, étêtez les cyclamens pour prolonger la floraison. En juin, repiquez les plantes au jardin ou replantez-les dans un plus grand pot.

Juniperus chinensis 'Stricta'

Senecio cineraria

Cyclamen hederifolium

Festuca glauca 'Elijah Blue'

Senteurs hivernales

Cette potée donne une scène hivernale colorée, agrémentée du parfum épicé de *Sarcococca confusa*, élégant persistant à petites fleurs blanches. Sans être spectaculaire, il parfume le jardin pendant plusieurs semaines. Pour les couleurs de fleurs et de feuillages, on lui associe des pensées *(Viola)*, un *Euonymus* panaché sur tige et du lierre *(Hedera)* qui adoucit les bords du pot. Ajoutez, si besoin, des primevères *(Primula vulgaris)*, à floraison printanière.

Éléments de base

Dimensions Bac en bois d'environ 60 cm de diamètre

Types de plantes Plantes à massif d'hiver et arbustes persistants

Substrat Terreau de plantation enrichi

Situation Au soleil, à l'abri, près d'une porte

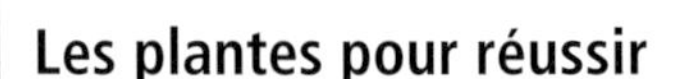

Les plantes pour réussir

- 5 *Hedera helix* 'Glacier'
- 5 pensées d'hiver à fleurs jaunes
- 5 pensées d'hiver à fleurs jaune pâle ou 3 primevères jaunes doubles
- 3 *Sarcococca confusa*
- 1 *Euonymus fortunei* 'Blondy' (palissé sur tige)

Plantation et entretien

Étendez du gravier au fond du bac et remplissez-le aux trois quarts de substrat. Disposez les plantes en plaçant *Euonymus* au milieu. Plantez dessous les *Sarcococca*, les lierres aux bords du bac et, entre eux, les pensées et les primevères. Ajoutez du substrat, arrosez et maintenez le sol frais. Placez le bac dans un endroit où vous profiterez du parfum des *Sarcococca*. Supprimez au fur et à mesure les fleurs fanées, ainsi que les pousses toutes vertes de *Euonymus*. En été, remplacez les plantes à massif par des impatiences ou des bégonias à floraison estivale.

Hedera helix 'Glacier'

Pensées d'hiver à fleurs jaunes

Pensées d'hiver à fleurs jaune pâle

Sarcococca confusa

Euonymus fortunei 'Blondy'

À essayer aussi

Primula vulgaris 'Double Sulphur'

Conseils d'entretien

Pour avoir un feuillage luxuriant, des floraisons et des fructifications abondantes, et pour vous récompenser année après année, vos arbres, arbustes et vivaces ne doivent pas manquer d'eau et de nourriture. Apprenez à les arroser sans gaspiller l'eau et à leur donner la dose appropriée d'engrais. Des massifs sans mauvaises herbes, sans ravageurs ni maladies lancent au jardinier un autre défi. Pour le relever, suivez les conseils qui vous sont donnés pour résoudre ces différents problèmes : ils vous aideront à en minimiser les effets.

De bonnes techniques d'arrosage

Gaspiller l'eau est aujourd'hui perçu comme inacceptable mais, pour avoir un jardin en bonne santé, un arrosage soigneux n'en est pas moins indispensable.

Que faut-il arroser ? Arrosez bien les jeunes plants après la plantation et jusqu'à leur établissement. Ensuite, ils ont moins besoin d'eau. En été, les pots et les suspensions réclament un arrosage régulier et, pour jouir de récoltes continues, le sol du potager doit rester frais. Arrosez les massifs et les plates-bandes uniquement en période sèche.

Comment arroser ? En été, mieux vaut arroser le matin ou le soir, lorsqu'il fait frais : l'eau s'évapore ainsi moins vite. Si vous n'avez qu'une plante ou un pot à arroser, utilisez un arrosoir plutôt qu'un tuyau d'arrosage : l'arrosage en est plus soigneux. Si vous arrosez des massifs avec un tuyau d'arrosage, préférez un long arrosage par semaine plutôt que des arrosages quotidiens légers. Les arrosages fréquents favorisent un enracinement superficiel, qui rend les plantes plus sensibles à la sécheresse. Plutôt que de pulvériser l'eau sur les plantes, placez le tuyau d'arrosage ou la pomme d'arrosoir au pied du plant pour que le sol absorbe toute l'eau.

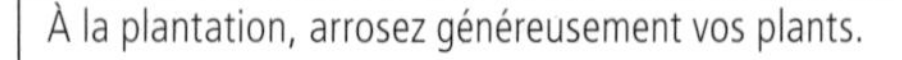

À la plantation, arrosez généreusement vos plants.

Pour arroser convenablement, évitez d'asperger les feuilles de la plante.

Avec un tuyau microporeux, l'arrosage est toujours très efficace.

Un arrosage efficace

Pour mieux arroser, faites une cuvette au pied du plant en retirant un peu de terre. Elle empêche l'eau de couler et évite le gaspillage. On peut aussi enfoncer un pot ou un bout de tuyau dans la terre près du plant : l'humidité se concentre alors près des racines, là où elle est indispensable. Pour les plantes très gourmandes en eau, un tuyau microporeux diffuse l'eau pendant plusieurs heures. Pour réduire les besoins en eau, étendez un paillis, choisissez des plantes résistant à la sécheresse et évitez les plantations denses.

Une fois installé, un arrosage automatique permet de gagner du temps et de ne pas gaspiller l'eau.

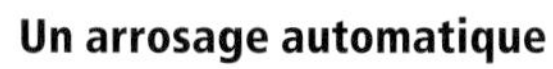

Un arrosage automatique

Ces systèmes sont très pratiques pour arroser les petits jardins, si vous vous absentez souvent ou si vous n'avez pas le temps de le faire. Ils se composent d'un réseau de petits tuyaux reliés à un programmateur branché sur un robinet. À périodes fixes, le programmateur s'allume, libère l'eau dans les tuyaux, puis s'éteint. Des goutteurs ou des microasperseurs reliés aux tuyaux diffusent l'eau au pied des plantes, dans les massifs ou dans les pots. Ces systèmes sont parfois délicats à installer et peuvent paraître coûteux, mais ils sont idéals dans les endroits où il n'est plus nécessaire de bêcher.

Nourrir et tuteurer les plantes

Pour avoir des plantes saines, il faut les nourrir avec un engrais, surtout si elles sont en pots. Dans un massif, au fur et à mesure que la saison progresse, les plantes herbacées ont parfois besoin d'un tuteur pour garder belle allure.

Choisir l'engrais

Il existe diverses sortes d'engrais, dont les proportions en éléments nutritifs et les méthodes d'application varient. Pour améliorer les performances d'une plante, préférez toujours le plus adapté.

Engrais organiques Le compost de jardin et le fumier, ainsi que les produits concentrés, tels que les poudres d'os ou d'algues séchées, sont d'excellentes sources d'azote à long terme. Ils apportent moins d'éléments nutritifs que des engrais minéraux, mais ils améliorent le sol. Les engrais organiques concentrés, faciles d'emploi, ont une action progressive.

Engrais minéraux Faciles à appliquer, ils contiennent de grosses proportions d'éléments nutritifs. Ils sont d'un bon rapport qualité-prix et d'action rapide, donc idéals pour des plantes présentant des symptômes de carence. Solubles, ils sont vite absorbés par les sols sableux.

Engrais liquides Excellent pour les potées, l'engrais liquide – qu'on trouve aussi sous forme de poudre à diluer – est mélangé à l'eau dans un arrosoir ou dans un appareil fixé au tuyau d'arrosage et diffusant des doses régulières.

Engrais à libération lente Assez coûteux mais idéals pour une plante en pot, on les trouve sous forme de granulés ou de petites plaquettes. Ils libèrent peu à peu leurs éléments nutritifs, en général sur plusieurs mois.

Engrais potassiques Ce sont des éléments nutritifs riches en potasse, une substance que beaucoup de plantes réclament en quantité. Pour bien produire, les légumes et les fruitiers ont besoin d'un engrais riche en potasse.

Engrais azotés L'azote est indispensable pour obtenir une croissance saine. Les engrais riches en azote contiennent une bonne proportion de nitrate d'ammonium. Les engrais organiques, comme le fumier de poulet ou le sang séché, sont aussi une excellente source d'azote.

Symptômes de carence Des feuilles jaunes ou pâles, notamment sur les bords, ainsi qu'une croissance lente, frêle et terne, indiquent que la plante manque de nourriture. Il arrive aussi qu'elle ne fleurisse et ne fructifie pas bien. Les carences en azote et en potasse sont les plus fréquentes : utilisez donc un engrais.

Quand amender ? Appliquez l'engrais pendant la période de croissance : la plante absorbe et profite alors des éléments nutritifs. Réduisez progressivement les apports d'engrais vers la fin de l'été. Évitez d'apporter un engrais en période de sécheresse (l'idéal est d'agir quand le sol est humide).

Tuteurage En condition de culture optimale, les vivaces poussent avec vigueur. Dès le début de la floraison, leur cime s'alourdit souvent et s'affaisse. Les variétés horticoles produisant de grosses fleurs présentent le même inconvénient. Dans un massif, des plantes affalées au sol ont un effet peu esthétique. On résout facilement le problème avec des supports ou des tuteurs : bambous, fils de fer ou filets. Placez les supports au printemps, au début de la végétation, avant l'apparition des premières pousses : la plante traverse alors le support et le dissimule. Les supports placés trop tardivement sont inesthétiques, mais ils sont parfois indispensables après une tempête ou une grosse pluie.

- *Achillea*
- *Agapanthus*
- *Aster* 'Coombe Fishacre'
- *Aster turbinellus*
- *Astrantia major*
- *Catananche caerulea*
- *Dahlia*
- *Delphinium*
- *Dicentra spectabilis*
- *Echinacea purpurea*
- *Gaura lindheimeri*
- *Geum coccineum*
- *Helenium* 'Moerheim Beauty'
- *Lupinus*
- *Penstemon*
- *Persicaria*
- *Phlox*
- *Rudbeckia*
- *Sedum* 'Herbstfreude'

Tuteurs et support spéciaux Certains supports sont conçus pour un usage spécifique, comme les arceaux ou les tuteurs coudés qu'on imbrique. En général de couleur verte, ils sont très discrets (cachés sous le feuillage). On les installe au printemps, mais il faut parfois agir tardivement, quand la plante s'affaisse et laisse un trou dans le massif.

Supports invisibles Pour obtenir un support très discret, tendez un fin filet vert sur un ensemble de tuteurs en bois d'environ 50 cm de hauteur, surmontant les couronnes des plantes. Pour que les plantes puissent pousser à travers, installez-le en mars : elles bénéficient alors d'un bon support quand elles sont en fleurs.

Lutter contre les mauvaises herbes

Le désherbage est souvent perçu comme une triste et pénible corvée, mais la lutte contre les mauvaises herbes est une part importante de l'entretien du jardin, qui permet de cultiver des plantes saines dans des conditions optimales.

Pourquoi désherber ? Une mauvaise herbe, dit-on parfois, est une plante qui ne pousse pas à la bonne place. Cela est peut-être vrai, mais si l'on n'agit pas assez vite, les mauvaises herbes communes, ayant tendance à coloniser, envahissent vite le jardin et concurrencent les autres plantes pour la lumière, l'eau et les éléments nutritifs. Tout en défigurant les massifs, elles attirent aussi les ravageurs et les maladies qui se répandent. L'effort finit toujours par payer, car, après quelques années, le temps passé à désherber est considérablement réduit.

Prévenir le développement des mauvaises herbes Dans un jardin bien établi, le désherbage est plus facile que dans un jardin encore plein de trous et de massifs vides, car les couvre-sol empêchent les mauvaises herbes de se reproduire et de se répandre. Les mauvaises herbes vivaces demandent quelques années avant d'être totalement éradiquées. Si vous plantez une grande surface, la pose d'un géotextile, qui ne laisse pas passer la lumière, les empêche de croître. Ce dernier est étendu sur le sol, puis recouvert d'un paillis à la plantation.

Sarcler La binette de jardin est utile pour désherber les massifs à fleurs : elle permet de les nettoyer sans piétiner le sol. Pour éliminer les mauvaises herbes en coupant leurs racines, enfoncez la binette dans le sol juste sous la plante et tirez d'un coup sec.

Lutter chimiquement Certaines mauvaises herbes vivaces, tels le liseron et l'herbe-aux-goutteux, semblent indestructibles, car le moindre bout de racine laissé dans le sol repousse. Pour les éradiquer, utilisez un désherbant systémique contenant des agents chimiques pénétrant jusqu'aux racines.

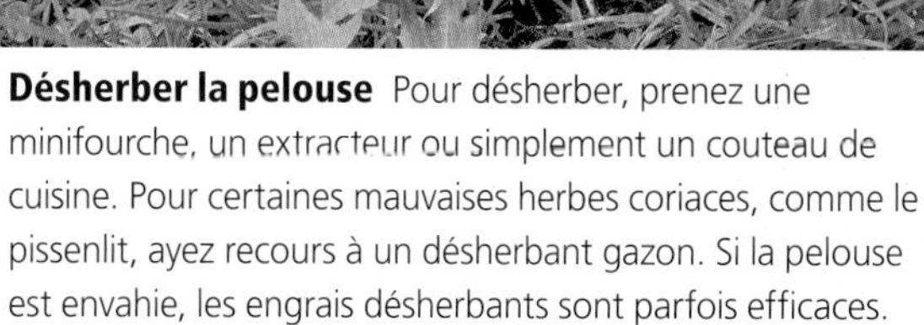

Désherber la pelouse Pour désherber, prenez une minifourche, un extracteur ou simplement un couteau de cuisine. Pour certaines mauvaises herbes coriaces, comme le pissenlit, ayez recours à un désherbant gazon. Si la pelouse est envahie, les engrais désherbants sont parfois efficaces.

Éradiquer les mauvaises herbes vivaces Face à un massif envahi, la meilleure solution est de le bêcher pour éliminer tout morceau de racines, de pulvériser un désherbant sur chaque mauvaise herbe ou de traiter le massif entier après avoir retiré les plantes d'ornement.

Principales mauvaises herbes vivaces

Au jardin, les mauvaises herbes sont un fait bien regrettable : en les combattant vite, on réduit progressivement leur nombre d'année en année. Les plus coriaces exigent un traitement spécifique : voici une liste des principales mauvaises herbes et quelques conseils pour mieux les éradiquer.

Liseron des haies
Cette grimpante volubile s'agrippe aux autres plantes et les étouffe. Son réseau de rhizomes étalé produit de fines tiges portant des feuilles cordiformes et des fleurs en trompette blanches ou roses. Même le plus petit bout de racine repousse. Arrachez les racines ou traitez les pousses au désherbant avec un pinceau.

Grande ortie
Les poils piquants du feuillage rendent douloureux le contact avec la plante. On ne voit pas toujours les jeunes plants dans les massifs. La grande ortie s'étale rapidement dans le sol grâce à de fins stolons donnant naissance à de nouveaux pieds. Pour les supprimer, retirez les stolons et les jeunes plants (en portant des gants).

Prêle
Cette plante primitive a des tiges fines portées par des racines noires et profondes, qui cassent facilement, mais repoussent après quelques semaines. Si vous n'avez qu'un plant, supprimez sa partie supérieure pour l'affaiblir et le tuer. Si l'infestation est importante, retournez le sol, retirez les racines et traitez les pousses au désherbant.

Rumex
Le rumex, à feuilles tendres et luxuriantes, envahit souvent les massifs et même parfois les pelouses. Il se développe à partir d'un long et profond pivot qui casse facilement. Arrachez-le pour éviter que la plante repousse. Supprimez la partie supérieure de la plante pour la tuer ou appliquez un désherbant au pinceau.

Renouée
Cette mauvaise herbe, dont les jolies tiges à croissance rapide atteignent 2 m, se couvre d'un feuillage cordiforme, dense. Ses rhizomes rampants sont vigoureux : un petit bout de racine peut former une colonie. Des applications répétées de désherbants et la suppression des jeunes plants s'avèrent efficaces.

Herbe-aux-goutteux
Cette plante rampante, présente dans les massifs, produit de grandes tiges et des fleurs blanches en été. Ses fins rhizomes blancs s'étalent dans le sol et les nouveaux plants forment vite un tapis. Avec une minifourche, arrachez le plant au maximum en évitant de casser les racines. Pour des infestations sévères, utilisez un désherbant.

Pissenlit
Très courant, le pissenlit, à fleurs jaunes et capsules duveteuses caractéristiques, présente un long pivot, qui casse facilement quand on l'arrache, mais repousse vite. Arrachez les jeunes plants avec un extracteur, notamment dans les pelouses. Traitez au désherbant les plants établis à l'aide d'un pinceau.

Oxalis à fleurs roses
Cette mauvaise herbe ressemble au trèfle, mais sa feuille est verte ou pourpre. On la trouve dans les fentes des dallages où elle se propage par des gousses explosives. Les racines s'arrachent facilement en laissant des bulbilles produisant toujours plus de plants. Retirez-en le plus possible et traitez les plantules au désherbant.

Séneçon jacobée
Très fréquente dans les pelouses, cette bisannuelle a des feuilles poilues et malodorantes, à bords froissés. Ses longues tiges, souvent coupées par la tondeuse, portent des capitules jaunes. La plante, inesthétique, est toxique pour le bétail. Arrachez les rosettes à la main ou avec un extracteur avant l'apparition des graines.

Ronce
Cette grande plante ligneuse est surtout dangereuse dans un jardin peu entretenu. Ses longues tiges arquées, à épines féroces, s'enracinent par leur extrémité dans le sol pour se reproduire. Un vieux pied installé est difficile à supprimer. Arrachez-en le maximum à la main. Dans les cas sérieux, utilisez un désherbant.

Géranium Robert
Cette annuelle (ou vivace à vie brève) est un géranium sauvage se ressemant à profusion. Son feuillage vert pourpré, légèrement collant, est malodorant. De petites fleurs pourpres se forment en été. Ce géranium se cache dans les massifs parmi de plus hautes plantes en formant des colonies. Arrachez-le à la main avant l'apparition des graines.

Lutter contre les ravageurs

Les plantes de jardin sont parfois la proie des ravageurs qui peuvent leur causer des dommages ou même les tuer. Pour prévenir les attaques, surveillez vos plantes. En dernier ressort, éradiquez les infestations sévères avec des pesticides.

Prévention Une plante saine est moins sensible aux ravageurs et supporte mieux les infestations. Vérifiez que les plantes introduites au jardin sont sans maladies ni ravageurs et que les spécimens établis sont bien soignés. Choisissez des plantes robustes, rarement sujettes aux maladies et ne cultivez pas longtemps les mêmes espèces au même endroit, en particulier les légumes et les petits fruits. Retirez les mauvaises herbes et les déchets de jardin qui abritent souvent les limaces et les escargots. Protégez les plantes fragiles avec des pièges (pièges à bière pour limaces ou des protections (coupez les fonds de bouteilles en plastique transparent et placez-les sur les jeunes plants).

Agir vite Si vous voyez un ravageur, supprimez-le vite, même s'il n'y a aucun dommage. Sur les rosiers, éliminez les pucerons en les écrasant entre vos doigts. Retirez aussi les limaces et les escargots et débarrassez-vous-en.

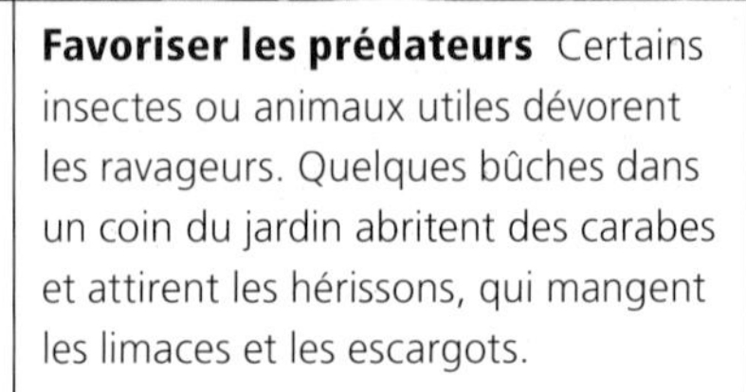

Favoriser les prédateurs Certains insectes ou animaux utiles dévorent les ravageurs. Quelques bûches dans un coin du jardin abritent des carabes et attirent les hérissons, qui mangent les limaces et les escargots.

Recourir aux pesticides Si l'attaque de ravageurs menace la plante, une utilisation raisonnable de pesticides résout vite le problème, tout en causant le minimum de dommages aux créatures utiles.

Ravageurs courants

Otiorhynques Ses larves blanches attaquent les racines des plantes. Les adultes noirs mangent les feuilles en laissant des encoches sur les bords.

Capsides Ces insectes verts ou bruns sucent la sève de la plante et tuent ses tissus en déformant en été l'extrémité des tiges de nombreuses espèces.

Tenthrèdes En juin, la larve verte ou brune de cet insecte ressemble à une chenille et dévore les feuilles de plantes comme le rosier et le groseillier.

Perce-oreilles Ces insectes attaquent souvent le dahlia, en abîmant ses fleurs en août. Sur d'autres fleurs, ils dévorent aussi les jeunes feuilles.

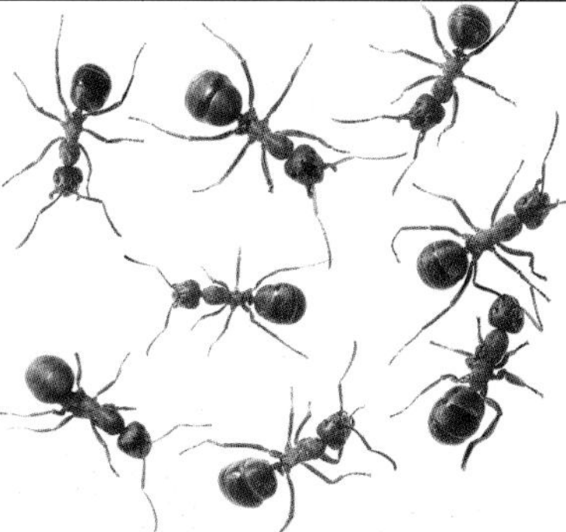

Fourmis Lorsqu'elles font leur nid dans la pelouse ou dans des pots plantés, les fourmis affectent la croissance des plantes et deviennent une nuisance.

Criocères du lis Les insectes adultes rouges, ainsi que les jeunes larves noires et visqueuses, dévorent les feuilles et fleurs des lis en été.

Pucerons Ces insectes suceurs s'attaquent aux plantes, comme le rosier, en affectant leur croissance et en propageant les maladies.

Altises Ces petits coléoptères noirs font des trous et des taches blanches sur les feuilles. La famille du chou est très touchée.

Limaces et escargots Ils dévorent les matières végétales tendres, en général la nuit, décimant des plantes comme les hostas.

Prévenir les maladies

Si, malgré l'absence de ravageurs, la plante n'a pas belle allure, la cause est sans doute due à une maladie. Il existe divers moyens d'en réduire les risques. Une fois le problème identifié, on le résout rapidement en traitant.

Garder des plantes saines Entretenez vos plantes et votre jardin au mieux : cela permet d'éviter bien des problèmes, car les conséquences d'une maladie sont pires quand la plante est en mauvaise santé ou en situation de stress à la suite d'une carence en eau ou en éléments nutritifs. N'introduisez au jardin que des plantes saines et adaptées.

Supprimer les sources de contamination Tenir le jardin propre est une part importante de l'entretien général. Débarrassez-vous des matières végétales malades, comme les feuilles de rosier infectées par la maladie des taches noires. Les vieilles feuilles mortes sont souvent à l'origine d'épidémies, car elles propagent les spores de champignons dans l'air.

Prévention et remèdes En maintenant les plantes en bonne santé et en supprimant celles qui sont malades, on accomplit une action préventive. Parfois, la seule solution est le recours aux agents chimiques, comme les fongicides. Associer la lutte chimique à la prévention est souvent le meilleur moyen de régler le problème.

Se débarrasser des virus Les virus attaquent presque toutes les plantes en provoquant des déformations du feuillage ou d'étranges variations de couleur de la fleur. Le virus, présent dans la sève de la plante infectée, est propagé par les pucerons. En général, mieux vaut détruire la plante.

Maladies courantes

Maladie des taches noires Ce champignon se caractérise par des taches rondes et noires, accompagnées parfois d'un jaunissement des feuilles. L'hygiène et l'entretien sont importants, les fongicides efficaces.

Maladie du corail Ce champignon provoque le dépérissement des pousses des arbres et des arbustes. Des pustules orange répandent la maladie. Supprimez les parties infectées. Désinfectez les outils après la coupe.

Botrytis Appelé aussi « pourriture grise », ce champignon attaque les jeunes plants tendres, provoquant leur éventuel dépérissement. Retirez les parties infectées et favorisez la circulation de l'air.

Oïdium Ce champignon blanc argenté attaque les feuilles qui finissent par jaunir, puis tomber. Il est souvent dû à des conditions sèches : maintenez les plantes humides et, si besoin, pulvérisez un fongicide adapté.

Rouille Cette maladie cryptogamique provoque des pustules orange sur l'envers de la feuille et entraîne sa chute rapide. Supprimez les parties infectées, favorisez la circulation de l'air et pulvérisez un fongicide adapté.

Bud blast du rhododendron Ce champignon empêche les boutons floraux du rhododendron de s'épanouir. Ils brunissent et se couvrent d'espèces de clous noirs. Supprimez au plus vite les boutons infectés.

Catalogue des plantes

Toutes les plantes présentées ici ont été regroupées en fonction de leurs dimensions et de leurs besoins en matière d'exposition. Nombre d'entre elles ont été distinguées par les *Award of Garden Merit*, une récompense décernée par la Société royale d'horticulture britannique.

Légendes des pictogrammes

🏆 Plante ayant reçu un prix ou une distinction pour ses qualités culturales ou ornementales

Nature du sol

- Sol drainé
- Sol frais
- Sol humide

Exposition

- Soleil
- Mi-ombre
- Ombre

Rusticité

- *** Plante rustique
- ** Plante de pleine terre demandant un climat doux ou une situation abritée
- * Plante nécessitant une protection contre le gel en hiver
- ❄ Plante gélive ne supportant pas des températures inférieures à 0 °C

Grandes plantes pour situation ensoleillée

Abutilon* x *suntense
Cet arbuste persistant est parfait dans un endroit abrité, au soleil, près d'un mur ou d'une clôture. Sa feuille poilue gris-vert ressemble à celle de la vigne. En mai, la plante se couvre pendant plusieurs semaines de grandes fleurs en coupe, pourpres ou blanches.

H : 4 m, **L** : 2 m

Acacia dealbata
Le **mimosa**, persistant à croissance rapide, atteint la taille d'un arbre. Son feuillage vert glauque est très découpé. Abrité, il produit en février des glomérules jaunes et parfumés. S'il est trop vigoureux, raccourcissez-le en le taillant au printemps.

H : 15 m, **L** : 6 m

Arbutus unedo
L'**arbousier** est l'un des meilleurs arbres persistants pour petits jardins. Arbustif à l'état jeune, il porte des feuilles vert foncé, lustrées, et des fleurs en urne blanches ou roses en novembre. Ses fruits ont l'aspect de fraises. Son écorce est brun-rouge.

H : 10 m, **L** : 6 m

Betula utilis* var. *jacquemontii
Cet élégant **bouleau de l'Himalaya** convient aux petits jardins. En hiver, son tronc blanc éclatant et son écorce qui s'exfolie sont décoratifs. Les jeunes feuilles et les chatons sont aussi très jolis au printemps. Avant de tomber, ses feuilles virent au jaune beurre.

H : 15 m, **L** : 7,50 m

***Buddleja davidii* 'Dartmoor'**
Le **buddléia** est facile à cultiver et attire les papillons. En juillet-août, cette belle variété porte des panicules en cône rouge pourpré sur de longues tiges arquées qui lui donnent un port pleureur. Taillez-le au printemps pour éviter qu'il devienne trop envahissant.

H : 3 m, **L** : 2 m

Cestrum parqui
Cet arbuste peu cultivé est idéal près d'un mur chaud, au soleil. Il produit du printemps aux premières gelées des cymes de fleurs jaune-vert, parfumées la nuit. Dans les régions froides, il est souvent rabattu au sol, mais ses racines repartent au printemps.

H : 3 m, **L** : 2 m

Clematis 'Alba Luxurians'

Cette excellente **clématite** produit de nombreuses petites fleurs blanches teintées de vert, à anthères noires. Les plants adultes grimpent aux treillages et recouvrent murs et clôtures. Ils peuvent étouffer d'autres arbustes. Rabattez-la à 20 cm du sol en février.

H : 5 m, **L** : 1,50 m

Clematis cirrhosa

Cette grimpante sarmenteuse persistante, à floraison hivernale, exige une situation ensoleillée, mais elle est facile et pousse vite. Ses feuilles luisantes rehaussent ses fleurs en coupe crème, parfois ponctuées de rouge et suivies de fruits plumeux décoratifs.

H : 6 m, **L** : 3 m

Clematis 'Perle d'Azur'

Dans un petit jardin, cette **clématite** est un excellent atout. Elle produit des fleurs à profusion de juillet à l'automne. Les fleurs, d'abord teintées de violet, s'épanouissent bleues. En février, rabattez les tiges à 20 cm du sol.

H : 3 m, **L** : 1,50 m

Cornus kousa var. *chinensis*

Cet arbuste, un **cornouiller**, est excellent. De grandes fleurs blanches ou roses au printemps laissent place à des fruits rouges à l'aspect de fraises. Les plants adultes ont un port arborescent et des floraisons de plus en plus spectaculaires.

H : 7 m, **L** : 5 m

Cotinus coggygria 'Royal Purple'

Pour qui aiment les feuillages colorés, l'**arbre à perruques** est idéal. Au fond d'un massif, ses feuilles rouge-pourpre contrastent avec des floraisons pâles. En été, il produit de fines panicules et, en automne, ses feuilles virent à l'écarlate avant de tomber.

H : 5 m, **L** : 4 m

Cynara cardunculus

Le **cardon** est une jolie plante de forme architecturale. Son feuillage est vert argenté et ses capitules, qui ressemblent à ceux du chardon, attirent les abeilles. Placez-le au fond d'un massif ou mettez-le en vedette dans un coin ensoleillé. Il disparaît en hiver.

H : 2 m, **L** : 1,20 m

Grandes plantes pour situation ensoleillée

Jasminum nudiflorum
Ce **jasmin** à floraison hivernale est souvent cultivé comme grimpante. En hiver, de petites fleurs jaune vif se forment avant les feuilles sur des tiges vert foncé. Le gel abîme parfois quelques fleurs, mais la plante refleurit alors davantage au redoux.

H : 4 m, **L** : 4 m

***Juniperus communis* 'Hibernica'**
Dans un petit jardin, le **genévrier** apporte une structure et des effets de contraste. Les aiguilles hérissées de ce conifère sont bleu-vert. De port dense et compact, il forme une colonne de plusieurs mètres qui tranche avec des formes rondes et horizontales.

H : 5 m, **L** : 60 cm

***Mahonia* x *media* 'Buckland'**
Cet arbuste très utile, à feuilles persistantes et lustrées, a une forme architecturale. Les grappes de fleurs jaunes parfumées du **mahonia** s'épanouissent en plein hiver. Si vous désherbez dessous, mettez des gants, car ses feuilles sont épineuses.

H : 4 m, **L** : 3 m

***Malus* 'John Downie'**
Ce **pommier à fleur** de port compact est l'un des meilleurs pour ses fruits décoratifs produits à profusion en août. Jaune et orange, les grosses pommes ressortent bien sur le feuillage caduc. Au printemps, les boutons roses s'épanouissent blanc pur.

H : 10 m, **L** : 6 m

Olea europaea
Les hivers devenant plus doux, l'**olivier** est de plus en plus cultivé dans les régions tempérées. Au soleil, abrité du vent, il devient imposant avec son tronc gris et ses feuilles persistantes gris-vert. De petites fleurs blanches s'épanouissent en été.

H : 6 m, **L** : 5 m

***Photinia* x *fraseri* 'Red Robin'**
Le **photinia** persistant est à son apogée au printemps, avec ses nouvelles pousses rouge cuivre lumineux. Ses grandes feuilles lisses se teintent de rouge à maturité. Il est très utilisé en haie, car il est assez compact et supporte bien la taille.

H : 3 m, **L** : 3 m

Prunus x *subhirtella* 'Autumnalis Rosea'

Cet arbre, un **cerisier à fleur**, ravit ceux qui veulent toute l'année profiter du jardin. De délicates fleurs en étoile rose pâle apparaissent de l'automne au printemps. Les jeunes feuilles, vert bronze, deviennent vert foncé à maturité.

H : 8 m, **L** : 6 m

Robinia pseudoacacia 'Frisia'

Le feuillage doré du **robinier faux acacia**, un arbre caduc, contraste avec d'autres plantes et illumine les jardins sombres des villes. Les plants, souvent greffés, ont des tiges épineuses et cassantes. Supprimez les drageons qui se forment à la base.

H : 15 m, **L** : 8 m

Romneya coulteri

Le **pavot en arbre** est une élégante vivace produisant de longues tiges fines non ramifiées à feuilles argentées. Il produit aux mois de juillet et d'août d'énormes fleurs parfumées à délicats pétales blancs et cœur jaune.

H : 2 m, **L** : 2 m

Solanum crispum 'Glasnevin'

Cette belle plante sarmenteuse est apparentée à la pomme de terre. Elle forme un arbuste palissé produisant tout l'été de petites fleurs pourpres à cœur jaune. Elle se marie bien aux rosiers et aux clématites. Au printemps, elle apprécie une taille légère.

H : 4 m, **L** : 2 m

Sorbus cashmiriana

Avec un port étalé, un feuillage délicat et des fleurs roses en corymbes, cet arbre est un bon choix. D'automne à janvier, le **sorbier** se couvre de grappes de fruits blancs luisants, de la taille d'une petite bille, persistant après la chute des feuilles.

H : 8 m, **L** : 6 m

Trachelospermum asiaticum

Cette grimpante persistante est idéale pour un petit jardin, mais réservez-lui un coin abrité. Sur les murs et les clôtures, ses petites feuilles lustrées forment une couverture dense et, à partir de juin, se forment des cymes de fleurs étoilées crème, très parfumées.

H : 4 m, **L** : 3 m

Grandes plantes pour situation ombragée

***Acer palmatum* var. *dissectum* groupe Dissectum Atropurpureum**
Cet **érable du Japon**, à feuillage rouge-pourpre, est le plus cultivé. De croissance lente, il finit par former un arbuste bas et rond. Ses feuilles délicates étant souvent abîmées par le vent, plantez-le en situation abritée.

H : 2 m, **L** : 3 m

Camellia sasanqua
Contrairement aux autres **camélias**, *C. sasanqua* s'épanouit en novembre. Selon les variétés, les fleurs parfumées sont simples ou semi-doubles, blanches ou roses. Palissez ses tiges contre un mur abrité pour protéger les fleurs du gel. Il exige un sol acide.

H : 4 m, **L** : 2 m

***Cercis canadensis* 'Forest Pansy'**
Ce très bel arbuste caduc, un **gainier**, est cultivé pour ses feuilles cordiformes rouge pourpré et ses bouquets de fleurs papilionacées pourpres au printemps. En automne, les feuilles se teintent d'orange avant de tomber. Placez-le en situation abritée.

H : 3 m, **L** : 3 m

***Daphne bholua* 'Jacqueline Postill'**
N'hésitez pas à trouver une place appropriée pour ce beau **daphné** persistant. En hiver, il produit à profusion des fleurs roses cireuses au parfum enivrant largement diffusé par le vent. Placez-le en situation abritée.

H : 3 m, **L** : 1,50 m

Dicksonia antarctica
Les crosses denses de la **fougère arborescente**, d'aspect exotique, se forment au sommet d'un tronc à lent développement et donnent naissance à des frondes vert clair. Cette fougère exige abri, humidité et protection contre les vents froids.

H : 6 m, **L** : 4 m

Fatsia japonica
Peu de plantes rustiques font autant d'effet que le **faux aralia**, avec ses grandes feuilles découpées et coriaces. En automne, des ombelles de fleurs blanches sont suivies par de petits fruits noirs et brillants. Il forme avec le temps un élégant arbuste érigé.

H : 3 m, **L** : 2 m

Hydrangea quercifolia
Les **hortensias** sont cultivés pour leurs corymbes décoratifs, mais cette espèce est appréciée pour ses feuilles ressemblant à celles du chêne, éclatantes en automne. Son port reste très compact et ses corymbes coniques blanc crème persistent longtemps.

H : 1,50 m, **L** : 1 m

***Ilex aquifolium* 'Silver Queen'**
Ce **houx** de croissance lente est idéal au jardin, formant un grand arbuste conique à feuilles persistantes épineuses marginées de blanc crème. Peu exigeant, idéal dans un coin sombre ou un massif ombragé, ce plant mâle ne produit pas de fruits.

H : 12 m, **L** : 3 m

***Lonicera periclymenum* 'Graham Thomas'**
Ce **chèvrefeuille des bois** est l'une des meilleures variétés. Il tolère l'ombre et produit à profusion des fleurs parfumées, surtout en soirée. Tubulaires, jaune crème, elles apparaissent en juin et se succèdent pendant tout l'été.

H : 4 m, **L** : 3 m

Phyllostachys
Très apprécié des paysagistes, ce **bambou** forme de magnifiques touffes. *P. nigra* produit des chaumes noirs, formant un beau contraste avec ses feuilles vert clair. Pour le mettre en valeur, supprimez les vieux chaumes et les branchettes basses.

H : 7 m, **L** : 5 m

***Sambucus racemosa* 'Plumosa Aurea'**
Au printemps et en été, cet arbuste caduc, un **sureau à grappes**, porte de délicates feuilles plumeuses dorées et ses jeunes pousses sont bronze. Mieux vaut chaque année le rabattre en mars, à environ 60 cm du sol.

H : 3 m, **L** : 2 m

Stewartia monadelpha
Les *Stewartia* sont des arbres caducs, à écorce décorative, dont les feuilles prennent des teintes éclatantes en automne. Cette espèce produit de petites fleurs estivales blanches ressemblant à celles du camélia. Cultivez-les en situation abritée.

H : 20 m, **L** : 5 m

Plantes de taille moyenne pour situation ensoleillée

Acanthus mollis
Avec ses touffes de feuilles lustrées, très architecturales, et ses élégantes hampes épineuses de fleurs pourpres, cette **acanthe** fait sensation au jardin. Ses grandes feuilles vertes, qui apparaissent en mars, sont parfois abîmées par le gel.

H : 2 m, **L** : 2 m

***Allium hollandicum* 'Purple Sensation'**
Cet **ail d'ornement** fleurit au début de l'été. Ses ombelles rondes de fleurs pourpres, portées par de fines tiges, sont idéales pour ponctuer des plantations basses. Plantez-le en groupe au printemps.

H : 1,20 m, **L** : 20 cm

Angelica archangelica
Cette vivace fleurit, fructifie et meurt en deux ans. La première année, l'**angélique** produit de remarquables touffes de grandes feuilles pennées. La seconde année, elle porte des ombelles de fleurs vert vif à l'extrémité de robustes hampes.

H : 2,50 m, **L** : 1,20 m

Aster turbinellus
En septembre, cet **aster** atteint son apogée grâce à ses capitules mauves portés par de fines tiges. Ces fleurs à disque jaune, produites à profusion, sont délicates. Les tiges ont parfois besoin d'un tuteur, bambou ou brindille, qu'il faut fixer rapidement.

H : 1 m, **L** : 1 m

***Berberis thunbergii* f. *atropurpurea* 'Dart's Red Lady'**
Les **berbéris** sont résistants et faciles à cultiver. Cette variété caduque, à tiges très épineuses, est appréciée pour ses feuilles rouges très colorées, mettant admirablement en valeur les autres plantes.

H : 1,20 m, **L** : 2 m

Bupleurum fruticosum
Le **buplèvre**, bel arbuste pour situation ensoleillée, forme une touffe de feuilles persistantes vert argent et produit de délicates ombelles de fleurs jaune vif en été. Il prospère en sol sec, alcalin, et préfère une situation dégagée, douce, le long du littoral.

H : 2 m, **L** : 2 m

***Buxus sempervirens* 'Marginata'**
Le **buis** est cultivé pour son feuillage persistant et sa tolérance à la taille. En art topiaire ou en haie taillée, il structure le jardin. Cette belle variété a des feuilles marginées de jaune. Le buis déteste les sols détrempés.

H : 3-4 m (s'il n'est pas taillé), **L** : 2 m
❄❄❄ 💧 ◐ ☼ ◑ 🏆

***Canna* 'Striata'**
Avec ses fleurs exotiques et ses feuilles rugueuses, le **canna** est une belle plante de soleil. *C.* 'Striata', à feuilles vertes rayées de jaune, porte des fleurs orange en été. Arrachez les rhizomes et conservez-les hors gel, ou étendez un épais paillis en hiver.

H : 2 m, **L** : 1 m
❄ ◐ ☼ 🏆

Chimonanthus praecox
Si, en été, cet arbuste caduc passe inaperçu, en hiver, ses petits boutons s'enflent et s'épanouissent en fleurs cireuses campanulées, jaune crème à centre pourpre. Le parfum épicé du **chimonanthe** embaume le jardin pendant les belles journées d'hiver.

H : 3 m, **L** : 2 m
❄❄❄ 💧 ☼

***Choisya ternata* 'Sundance'**
L'**oranger du Mexique** est un arbuste élégant, au feuillage aromatique persistant et doré, et aux corymbes de fleurs blanches. Placez-le un peu à l'ombre, ce qui rendra ses feuilles vert clair plus lumineuses. Il déteste les sols détrempés.

H : 2 m, **L** : 1,50 m
❄❄ 💧 ☼ ◑ 🏆

Cistus* x *hybridus
On admire cet arbuste persistant et facile à cultiver en juin. Pendant deux ou trois semaines, le **ciste** se couvre de fleurs simples blanches, à cœur jaune. Le ciste, à durée de vie brève, supporte quelques temps la sécheresse.

H : 1,20 m, **L** : 1,50 m
❄❄ 💧 ☼

***Correa* 'Dusky Bells'**
Cette charmante plante à floraison hivernale pousse au soleil, en situation abritée. Arbustive et étalée, elle exhibe de petites feuilles persistantes et produit en hiver, pendant les périodes de redoux, des fleurs tubulées rouge rosé, à anthères saillantes.

H : 1 m, **L** : 60 cm
❄❄ 💧 ◐ ☼ 🏆

Plantes de taille moyenne pour situation ensoleillée

***Crocosmia* x *crocosmiiflora* 'Venus'**
Le **crocosmia**, à feuilles rubanées, produit en général des gerbes de fleurs orange en août. Il en existe de nombreuses variétés très intéressantes. *C.* x *crocosmiiflora* 'Venus', à fleurs rouge et or, en est un bon exemple.

H : 50 cm, **L** : 60 cm
❄❄ ◊ ◑ ☼ ◐

***Dahlia* 'Bishop of Llandaff'**
Cette vieille variété produit des fleurs rouges simples et veloutées sur un feuillage pourpre. De port compact, elle est idéale pour un coin de jardin, associée à d'autres vivaces à floraison tardive. Arrachez les tubercules en hiver et conservez-les hors gel.

H : 1,20 m, **L** : 60 cm
❄ ◑ ☼ 🏆

***Deutzia* x *rosea* 'Campanulata'**
Pour un petit jardin, cet arbuste caduc et compact est une bonne plante peu exigeante. Ses pousses érigées très ramifiées portent des feuilles poilues. Les fleurs campanulées, blanches teintées de rose, restent belles pendant plusieurs semaines.

H : 1,20 m, **L** : 1,20 m
❄❄❄ ◊ ◑ ☼ ◐

Dierama pulcherrimum
En été, de longs épis pendants portant de grandes fleurs campanulées se forment sur des touffes de feuilles persistantes, rubanées et coriaces. Les fleurs sont en général roses, mais quelquefois blanches ou pourpre foncé.

H : 1,50 m, **L** : 60 cm
❄❄ ◑ ☼

Echinacea purpurea
Le **rudbéckia pourpre**, une très jolie vivace, produit des capitules rose pourpré, à large cône central foncé teinté d'orange. Les fleurs sont portées par des tiges robustes. Les pousses latérales produisent des fleurs tardives, jusqu'en automne.

H : 1,20 m, **L** : 60 cm
❄❄❄ ◊ ☼

Euphorbia characias
L'**euphorbe** est une superbe vivace persistante qui fleurit en juin. Elle porte des cymes rondes de fleurs insignifiantes entourées de bractées vert citron. Les feuilles lancéolées vert glauque se forment à l'extrémité de tiges charnues dont la sève est toxique.

H : 1,50 m, **L** : 1 m
❄❄ ◊ ◑ ☼

Euphorbia x *martinii*

Cette **euphorbe** est un excellent choix du fait de sa belle floraison et de son port compact mais érigé. Les boutons verts à cœur rouge se forment au printemps en grandes cymes rondes et légères, portées par des tiges pourpres sur un feuillage persistant vert foncé.

H : 60 cm, **L** : 60 cm

❄❄❄ 💧 ☼ 🏆

Grevillea 'Canberra Gem'

Cet arbuste persistant peu commun, dont les feuilles vert clair ressemblent à des aiguilles, reste discret pendant une grande partie de l'année. En été, il se métamorphose avec des fleurs exotiques rose-rouge s'épanouissant ici ou là. Il exige un sol acide.

H : 1,50 m, **L** : 1,50 m

❄❄ 💧 ☼ 🏆

Hebe 'Midsummer Beauty'

Du fait de sa longue floraison, cette **véronique arbustive** mérite une place au jardin. En juillet, elle porte de longs épis de fleurs violettes et blanches, délicatement parfumées. La floraison se poursuit en automne, et même en hiver, si le temps est doux.

H : 2 m, **L** : 2 m

❄❄ 💧 💧 ☼ ◐ 🏆

Helenium 'Moerheim Beauty'

L'**hélénie**, vivace à floraison tardive, est très cultivée. De juillet-août à septembre, elle produit des capitules en forme de volant, rouge cuivré, portés par des tiges robustes et érigées. Si vous voulez profiter d'une seconde floraison, mieux vaut l'étêter.

H : 1,40 m, **L** : 1 m

❄❄❄ 💧 💧 ☼ 🏆

Hemerocallis 'Corky'

Cette vivace forme une touffe d'étroites feuilles rubanées. De fines tiges apparaissent en été, portant des groupes de fleurs en trompette jaune-orange, à sépales brun rougeâtre. Les fleurs ne durent pas plus d'une journée mais se renouvellent sans cesse.

H : 60 cm, **L** : 60 cm

❄❄❄ 💧 💧 ☼ ◐ 🏆

Hibiscus syriacus 'Oiseau Bleu'

Peu d'arbustes surpassent l'**althéa** en pleine floraison. Au moment où les autres plantes s'essoufflent, il produit jusqu'en septembre une profusion de grandes fleurs en coupe plate bleu vif (couleur rare à cette saison tardive).

H : 2,50 m, **L** : 1,50 m

❄❄❄ 💧 ☼ 🏆

Plantes de taille moyenne pour situation ensoleillée

Inula hookeri

Cette vivace en touffe devrait être davantage cultivée. En juillet, l'**aunée** produit de belles fleurs jaunes à ligules étroites qui s'épanouissent à l'extrémité de tiges flexibles à feuilles ovales et poilues. En novembre, il faut rabattre les tiges au sol.

H : 60 cm, **L** : 60 cm

Iris laevigata

Cet **iris**, parfait en zone humide, pousse même les pieds dans l'eau. Ses feuilles en forme d'épée forment un beau contraste avec des végétations arbustives. En juin-juillet, sur ses hampes florales, se succèdent de belles fleurs, en général bleu lavande.

H : 50 cm, **L** : 30 cm

Iris sibirica 'Perry's Blue'

L'**iris de Sibérie** préfère un sol qui ne se dessèche pas. Au printemps, ses touffes de feuilles flexibles et rubanées produisent de grandes hampes ramifiées portant pendant plusieurs semaines de délicates fleurs bleu ciel marginées de blanc de 6 cm de diamètre.

H : 1 m, **L** : 50 cm

Lavandula stoechas

En situation abritée et ensoleillée, la **lavande papillon** est sans égal pour donner une note méditerranéenne, avec son feuillage aromatique et sa longue floraison. Ses épis aux bractées violettes sont portés par des tiges qui dépassent du feuillage linéaire gris-vert.

H : 60 cm, **L** : 60 cm

Lilium regale

Ce **lis royal** est facile à cultiver. Ses tiges charnues à feuilles étroites et à croissance rapide apparaissent au printemps. De gros boutons s'enflent, puis s'épanouissent en larges trompettes blanc argenté à étamines saillantes, délicieusement parfumées.

H : 1,50 m, **L** : 30 cm

Lobelia tupa

Au printemps, la **lobélie** d'aspect exotique produit des tiges charnues teintées de rouge et de grandes feuilles duveteuses. En août s'épanouissent des fleurs rouges tubulaires persistant jusqu'en automne. Rabattez les tiges au sol après les premiers gels.

H : 2 m, **L** : 1 m

Melianthus major
Cette plante à remarquable feuillage bleu argenté, très découpé, fait bel effet dans un massif blanc et forme de beaux contrastes avec des feuilles pourpres. Elle est souvent rabattue au sol par le gel. Protégez chaque année ses racines avec un épais paillis.

H : 2 m, **L** : 1 m
❄❄ ◊ ◑ ☼ 🏆

***Miscanthus sinensis* 'Zebrinus'**
Avec ses grandes tiges et ses feuilles rubanées, cette graminée ornementale est très appréciée. Les limbes, à larges rayures jaunes, donnent à l'**eulalie** une apparence remarquable, surtout quand on la place au soleil où ses couleurs sont plus intenses.

H : 2 m, **L** : 1 m
❄❄❄ ◑ ☼ ◐

Nandina domestica
Le **bambou sacré** est bien utile. Son port délicat est architectural et ses feuilles découpées prennent de jolies couleurs automnales. En juin, il produit des fleurs blanches en panicules, suivies de grappes de baies orange persistant jusqu'en hiver.

H : 2 m, **L** : 2 m
❄❄❄ ◊ ☼ ◐ 🏆

***Pennisetum setaceum* 'Rubrum'**
Cette magnifique graminée est une vivace gélive, idéale en pot en situation ensoleillée durant l'été. Cultivez-la de préférence comme annuelle. Elle produit des panicules plumeuses pourpres sur des tiges arquées surmontant un feuillage rouge vif.

H : 1 m, **L** : 60 cm
❀ ◑ ◊ ☼

***Perovskia* 'Blue Spire'**
Ce sous-arbrisseau d'apparence délicate est parfait pour un coin sec et ensoleillé. Il forme un buisson érigé à feuillage aromatique vert argenté. De la fin de l'été à l'automne, il produit des nuées de fleurs bleu-violet.

H : 1,20 m, **L** : 1 m
❄❄❄ ◊ ☼ 🏆

Phlomis russeliana
Cette vivace exhibe de grandes feuilles tendres et cordiformes qui recouvrent le sol, même en hiver. En juin apparaissent des fleurs jaune doux, sur de belles tiges robustes. En automne et en hiver, après la floraison, celles-ci présentent un caractère structuré.

H : 1 m, **L** : 1,20 m
❄❄❄ ◑ ◊ ☼ ◐ 🏆

Plantes de taille moyenne pour situation ensoleillée

Phormium **'Yellow Wave'**
Ce **lin de Nouvelle-Zélande** fort apprécié est élégant et compact. Ses grandes feuilles vertes persistantes et rubanées, à généreuses taches jaunes, s'arquent gracieusement en donnant aux touffes bien établies une allure élégante.

H : 1,20 m, **L** : 1 m
❄❄ ◇ ◆ ☼ ◐ 🏆

Pinus mugo **'Ophir'**
Ce **pin de montagne** compact, de croissance lente, forme un grand arbuste, idéal dans un petit jardin et même en pot. Ses courtes tiges arquées sont recouvertes d'aiguilles denses. Il est fort beau en hiver, quand ses aiguilles virent au jaune d'or vif.

H : 1,50 m, **L** : 1,50 m
❄❄❄ ◇ ☼

Pittosporum tobira
Avec ses feuilles persistantes luisantes et ses ombelles de fleurs crème délicieusement parfumées, cette plante devrait être davantage utilisée. Originaire du bassin méditerranéen, elle ravit ceux qui recherchent une évocation des régions chaudes.

H : 2 m, **L** : 2 m
❄❄ ◇ ☼ 🏆

Rosa **x** ***odorata*** **'Mutabilis'**
Ce magnifique **rosier de Chine** fleurit de mai à novembre. Des bouquets de délicates fleurs simples s'épanouissent jaune-orange, puis virent au rose vif en vieillissant. Les jeunes pousses et les feuilles de ce buisson compact mais étalé sont teintées de pourpre.

H : 1 m, **L** : 1 m
❄❄ ◇ ☼ 🏆

Rosa xanthina **'Canary Bird'**
Ce **rosier** qui fleurit à la fin du printemps est l'un des plus précoces. Il produit à profusion des fleurs simples, jaune soleil, légèrement parfumées, et exhibe de jolies feuilles vert pomme. Il refleurit souvent à l'automne.

H : 2 m, **L** : 2 m
❄❄❄ ◇ ☼ 🏆

Rosmarinus officinalis
Le feuillage du **romarin**, un persistant à port dense, est aromatique et ses jolies fleurs bleues apparaissent au printemps, parfois en automne. Il pousse bien en pot, supporte la sécheresse et peut être taillé. Cette plante est aussi utilisée dans la cuisine.

H : 1,50 m, **L** : 1,50 m
❄❄ ◇ ☼

***Salvia officinalis* 'Purpurascens'**
La **sauge à feuille pourpre** est très utile dans un petit jardin : elle est facile, pousse vite et forme une touffe couvre-sol. Ses feuilles tendres, ovales et pourpres, sont aromatiques. En été, ses tiges portent de petites fleurs pourpres.

H : 1 m, **L** : 1 m
❄❄ 💧 ☼ 🏆

***Salvia* x *sylvestris* 'Mainacht'**
Les **sauges** sont très prisées pour leur floraison estivale. Cette variété compacte est idéale pour un petit jardin. Ses fleurs d'un bleu pourpré intense sont d'une couleur peu courante à cette saison. Elles sont produites à profusion, en épis raides et érigés.

H : 1 m, **L** : 50 cm
❄❄ 💧 ☼ 🏆

Stipa gigantea
Cette graminée vivace est grande mais trouve facilement sa place au jardin. Elle forme une touffe compacte de longues feuilles étroites et, en été, produit de longues tiges portant des épillets dorés transparents, aux reflets chatoyants.

H : 2 m, **L** : 1 m
❄❄❄ 💧 💧 ☼ 🏆

Trachycarpus wagnerianus
Ce **palmier chanvre** rustique, compact et à croissance lente, est parfait pour un petit jardin. Il forme progressivement un tronc. Ses feuilles en éventail, persistantes, foncées, profondément découpées, lui donnent une apparence raffinée.

H : 2 m après 10 ans, **L** : 2 m
❄❄❄ 💧 💧 ☼ ◐

Verbena bonariensis
La **verveine** est indispensable, même dans un petit jardin : elle est grande, mais, comme ses feuilles sont linéaires, on peut voir à travers elle. Sa floraison est longue : ses fleurs pourpres en cymes apparaissent en été et persistent jusqu'en automne.

H : 2 m, **L** : 60 cm
❄❄ 💧 ☼ 🏆

***Weigela* 'Eva Rathke'**
Les **weigélias** fleurissent en général au printemps ou en juin. Cette variante compacte forme un buisson dense, produisant en mai des boutons rouge foncé suivis de fleurs campanulées cramoisies. Supprimez les vieilles tiges après la floraison.

H : 1,50 m, **L** : 1,50 m
❄❄❄ 💧 ☼ ◐

Plantes de taille moyenne pour situation ombragée

Acer shirasawanum **'Aureum'**
L'**érable du Japon**, compact et de croissance lente, est admirable en mai-juin, quand le feuillage est à son apogée. Au débourrement, ses feuilles dorées évoquent de petits éventails orientaux. Elles sont mises en valeur à l'ombre parmi d'autres plantations.

H : 1,50 m après 10 ans, **L** : 1 m
❄❄❄ ◊ ◐ ☀ 🏆

Anemanthele lessoniana
Cette graminée, plus connue sous le nom de *Stipa arundinacea*, forme une belle touffe de grandes feuilles persistantes s'arquant avec élégance. En août apparaissent de petites fleurs. En automne, les touffes prennent des teintes brun roux très décoratives.

H : 1,20 m, **L** : 1,20 m
❄❄ ◊ ☼ ☀

Anemone **x** ***hybrida***
'Honorine Jobert'
Peu de vivaces égalent cette **anémone**, remarquable en août. Ses touffes vigoureuses de feuilles rugueuses et découpées se développent jusqu'à l'apparition de tiges florales portant des ombelles de fleurs simples blanches.

H : 1,50 m, **L** : 60 cm
❄❄❄ ◐ ☀ 🏆

Aquilegia **groupe McKana**
Cette vivace, une **ancolie**, est la grande favorite des jardins de curé. Sa floraison printanière décline une large gamme de couleurs. Les touffes se développent au printemps et se couvrent de fleurs pendant plusieurs semaines.

H : 1 m, **L** : 50 cm
❄❄❄ ◊ ☼ ☀

Aruncus dioicus
La **barbe-de-bouc**, une grande vivace facile à cultiver, est idéale en situation fraîche. Au printemps, ses pousses se forment sur une touffe de tiges feuillues. En juillet, pendant plusieurs semaines, elles produisent des fleurs blanc crème minuscules en panicules.

H : 2 m, **L** : 1,20 m
❄❄❄ ◐ ● ☼ ☀

Astilboides tabularis
Cette très belle plante se distingue par de grandes feuilles en parasol, presque rondes, portées par un long pétiole central. D'un délicat vert tendre en juin, elles s'assombrissent au fur et à mesure que la saison avance. Des fleurs blanches s'épanouissent en août.

H : 1,50 m, **L** : 1 m
❄❄❄ ◐ ● ☀

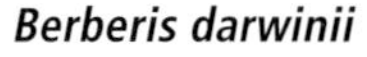

Aucuba japonica
Parmi les arbustes rustiques décoratifs à toute saison, ce persistant est l'un des meilleurs. L'**aucuba** est très vigoureux. Ses grandes feuilles ovales sont tachetées de jaune. Au printemps, des fleurs rouge-pourpre en panicules sont suivies de baies cramoisies.

H : 2,50 m, **L** : 2,50 m
❄❄❄ ○ ◑ ● ◐

Berberis darwinii
Ce persistant épineux a l'une des floraisons printanières les plus spectaculaires. Le **berbéris** est parfait au fond d'un massif. Son feuillage lustré met en valeur les nombreuses grappes de fleurs orange vif. Ces dernières sont suivies de baies bleues.

H : 2 m après 10 ans, **L** : 2 m
❄❄❄ ○ ◑ ◐ 🏆

Camellia japonica 'Bob's Tinsie'
Avec ses fleurs inhabituelles, son port compact et élégant, ce **camélia** est remarquable. Ses feuilles persistantes, ovales et lustrées, rehaussent de petites fleurs en coupe rouges qui se forment en abondance au printemps.

H : 1,50 m, **L** : 1 m
❄❄❄ ○ ◑ ◐ 🏆

Cornus sanguinea 'Winter Beauty'
Ce **cornouiller sanguin** passe presque inaperçu en été, mais, en automne, ses feuilles virent au jaune beurre et ses tiges ressortent jaune-orange vif, les plus jeunes, teintées de rouge. Il a tout d'une belle flamme.

H : 2 m, **L** : 2 m
❄❄❄ ◑ ☼ ◐

Cotoneaster horizontalis
Cet arbuste est plein de qualités. Son séduisant feuillage vert tendre printanier est suivi, en été, de fleurs blanc rosé. En automne, les feuilles, avant de tomber, virent au cramoisi. En hiver, les tiges sont souvent soulignées de baies rouges.

H : 2 m, **L** : 2 m
❄❄❄ ○ ◑ ☼ ◐ 🏆

Desfontainia spinosa
Au premier abord, cette plante ressemble à un houx compact à petites feuilles épineuses vert foncé. En été, elle surprend par de longues fleurs tubulaires et pendantes, rouge et jaune. Elles sont très jolies et rehaussées par le feuillage sombre.

H : 1 m, **L** : 60 cm
❄❄ ◑ ◐ 🏆

Plantes de taille moyenne pour situation ombragée

Dicentra spectabilis

Le **cœur-de-Marie** se plaît à l'ombre claire. À la fin de l'hiver apparaissent ses pousses charnues, souvent abîmées par les gels tardifs. Les feuilles tendres dépérissent en juillet, mais se couvrent longtemps de fleurs rose et blanc, en grappes arquées.

H : 1 m, **L** : 60 cm

❄❄❄ ◯ ◐ ◑ 🏆

Digitalis purpurea

La **digitale pourpre**, facile à cultiver, prospère à l'ombre et se ressème à profusion. Elle est en général bisannuelle, formant la première année une rosette de grandes feuilles ovales et produisant, la seconde, de longs épis de fleurs pourpres ou blanches.

H : 2 m, **L** : 60 cm

❄❄❄ ◐ ☼ ◑

Geranium x *oxonianum* 'Claridge Druce'

Cette plante herbacée, le **géranium vivace**, idéale pour l'ombre sèche, est l'une des plus résistantes. Elle développe une touffe de feuilles souvent semi-persistantes, sur laquelle se forment des fleurs rose vif du printemps à novembre.

H : 1,20 m, **L** : 1 m

❄❄❄ ◯ ◐ ● ☼ ◑

Hedychium densiflorum

Rustique, cette plante est une belle vivace à floraison tardive. En été, ses vigoureuses tiges charnues poussent vite et portent des feuilles luxuriantes. À l'extrémité des tiges s'épanouissent des grappes de fleurs orange parfumées en automne.

H : 1,20 m, **L** : 2 m

❄❄ ◯ ◐ ☼ ◑

Helleborus argutifolius

L'**hellébore de Corse** est une vivace persistante qui pousse bien à l'ombre et bouche facilement des trous. Son beau feuillage denté est porté par des tiges presque arbustives. En hiver, il produit des fleurs vert pâle en coupe. Après la floraison, rabattez les tiges.

H : 1 m, **L** : 1 m

❄❄ ◯ ◐ ☼ ◑ 🏆

Hosta 'Jade Cascade'

Cet énorme **hosta** est vigoureux mais gracieux. Ses longues feuilles pointues vert vif, fortement veinées, atteignent 30 cm. Portées par de longs pétioles, elles s'inclinent avec élégance. En juin apparaissent de longues hampes de fleurs lilas.

H : 1,20 m, **L** : 1,10 m

❄❄❄ ◐ ◑

Hosta sieboldiana

Cet **hosta** possède un beau feuillage. Au printemps, ses pousses bleues à l'aspect de dents donnent naissance à des feuilles d'abord gris-bleu, puis vertes à maturité. Les plants forment de grandes touffes de feuilles gaufrées de 30 cm de longueur et de largeur.

H : 1 m, **L** : 1 m
❄❄❄ 💧 ◑

Hosta 'Sum and Substance'

Une variété spectaculaire d'**hosta** : l'une des plus grandes et des plus faciles à cultiver. Au printemps, ses immenses feuilles vert doré sont lumineuses. En été surgissent de grandes hampes de fleurs lavande. Elle résiste assez bien aux limaces.

H : 75 cm, **L** : 1,20 m
❄❄❄ 💧 ◑ 🏆

Hydrangea macrophylla 'Lanarth White'

Cet **hortensia** forme un dôme arrondi. Ses corymbes aplatis se composent de minuscules fleurs fertiles bleues ou roses entourées de fleurs stériles blanc pur. Les fleurs sont plus jolies à l'ombre.

H : 1 m, **L** : 1 m
❄❄❄ ◊ 💧 ◑ 🏆

Ilex crenata var. *latifolia*

Ce **houx** ressemble plutôt à un buis, mais sa croissance est plus rapide. Il tolère bien la taille et fait de bonnes haies basses. *I. crenata* 'Golden Gem', à feuillage jaune brillant, est une autre variété qui est une belle plante d'ombre.

H : jusqu'à 1,50 m, **L** : 1,50 m
❄❄❄ ◊ 💧 ☼ ◑

Iris foetidissima

Cette vivace est parfaite à l'ombre, même sous des arbres ou des arbustes. Son feuillage en forme d'épée est persistant et ses fleurs pourpres s'épanouissent au printemps, mais ce sont ses capsules de graines orange en hiver qui sont le plus décoratives.

H : 1 m, **L** : 60 cm
❄❄❄ ◊ 💧 ◑ 🏆

Leucothoe fontanesiana 'Rainbow'

Les branches arquées de cet arbuste persistant forment une belle touffe. Les feuilles sont tachées et mouchetées de crème, de rose et d'orange. En été, des fleurs campanulées blanches pendent le long des tiges.

H : 1,50 m, **L** : 1,20 m
❄❄❄ 💧 ◑

Plantes de taille moyenne pour situation ombragée

Leycesteria formosa
L'**arbre aux faisans** prospère même à l'ombre dense. En été s'épanouissent ses fleurs pourpre rosé en épis sur des tiges arquées. Ses feuilles sont ovales et luxuriantes. En automne apparaissent des baies pourpres et, en hiver, ses tiges vertes sont décoratives.

H : 1,50 m, **L** : 1,20 m
❄❄❄ ◇ ◑ ☼ ◐ 🏆

***Ligularia dentata* 'Desdemona'**
Cette vivace, une **ligulaire**, est un bon choix pour un coin humide. Ses touffes de grandes feuilles rondes vert pourpré sur de longs pétioles apparaissent au printemps. Elles sont suivies de grandes tiges surmontées de capitules jaune orangé.

H : 1,20 m, **L** : 60 cm
❄❄❄ ◑ ● ◐ 🏆

Osmunda regalis
L'**osmonde royale**, une grande fougère caduque, est parfaite en zone humide. Au printemps, ses crosses se déroulent pour donner naissance à des frondes vert frais. En été, elles donnent une note très architecturale. Elles virent au jaune clair à l'automne.

H : 1,20 m, **L** : 1 m
❄❄❄ ◑ ● ◐ 🏆

***Pieris* 'Forest Flame'**
Cet arbuste persistant est cultivé pour ses spectaculaires jeunes pousses rouge vif et ses fleurs blanches en forme de grelot en panicules. Les fleurs apparaissent en mars avant les pousses, qui virent au rose puis au vert. Le **piéris** exige un sol acide.

H : 2,50 m, **L** : 2 m
❄❄❄ ◑ ◐ 🏆

Primula florindae
Cette **primevère**, qui évoque le coucou *(Primula veris)*, est l'une des plus spectaculaires. Au printemps, sur des touffes de feuilles vert tendre de 30 cm de longueur se forment de grandes hampes portant des fleurs en entonnoir parfumées, jaunes ou orange.

H : 1,20 m, **L** : 60 cm
❄❄❄ ◑ ◐ 🏆

***Rhododendron* 'Olive'**
Pour prospérer, ce **rhododendron** persistant exige une situation abritée et un sol acide. Ses petites feuilles ovales vertes mettent en valeur des corymbes de fleurs campanulées mauve rosé atteignant 4 cm de diamètre et s'épanouissant en février.

H : 1,50 m, **L** : 1 m
❄❄❄ ◑ ◐

Rhododendron **'Persil'**
En mai, l'**azalée de Chine** de terre acide est un spectacle splendide. Ses grandes fleurs parfumées, blanches à tache jaune, apparaissent en même temps que les feuilles tendres et poilues. La longue floraison ressort mieux en situation ombragée.

H : jusqu'à 2 m, **L** : 2 m
❄❄❄ 💧 ☼ ◐ 🏆

Ribes sanguineum **'Brocklebankii'**
Ce **groseillier à fleur**, compact, est magnifique au printemps, quand ses fleurs et ses feuilles jaunes apparaissent, produisant un bel effet. Il ressort mieux à l'ombre et n'apprécie pas le soleil direct qui peut brûler son feuillage.

H : 1,50 m, **L** : 1 m
❄❄❄ ◯ ◐

Sarcococca hookeriana **var. *digyna***
Cette plante persistante, compacte, à floraison hivernale, apprécie l'ombre. Ses feuilles étroites sont lustrées et le plant forme une touffe ronde et dense. En hiver, il produit de petites fleurs blanches, au délicieux parfum épicé.

H : 1 m, **L** : 1 m
❄❄❄ ◯ 💧 ◐ 🏆

Skimmia* x *confusa **'Kew Green'**
Cette variété à feuilles pointues et lustrées de **skimmia** est très fiable. En février, ses grandes panicules coniques de fleurs crème verdâtre diffusent un délicieux parfum. Cette plante ne produit que des fleurs mâles ; pour avoir des baies, il faut un plant femelle.

H : 1 m, **L** : 1,50 m
❄❄❄ 💧 ◐ 🏆

Viburnum davidii
Le **viorne**, arbuste persistant à touffe basse, est une plante pour toute saison. Ses jolies feuilles ovales, d'un beau vert, sont plissées. En été, il produit de grandes cymes de petites fleurs blanches, suivies de baies bleues si l'on a planté des pieds mâle et femelle.

H : 1 m, **L** : 2 m
❄❄ ◯ 💧 ◐ 🏆

Viburnum tinus **'Eve Price'**
Ce persistant compact et florifère constitue un arrière-plan idéal au fond d'un massif. Il forme une couverture dense de petites feuilles ovales vertes. Des fleurs teintées de rose en cymes se succèdent au cours de l'hiver et du printemps.

H : 2 m, **L** : 2 m
❄❄❄ ◯ 💧 ☼ ◐ 🏆

Petites plantes pour situation ensoleillée

Allium schoenoprasum

La **ciboulette** n'est pas seulement utile au potager ; elle a aussi sa place dans un jardin fleuri ou en bordure de massif. Ses feuilles étroites, vert-bleu, sont très décoratives, surtout quand elles se combinent aux fleurs mauve rosé pendant plusieurs semaines.

H : 30 cm, **L** : 20 cm
❄❄❄ 💧 ☼

Artemisia alba 'Canescens'

Cette **armoise**, une vivace à feuilles argentées, est très utile en bordure de massif. Son feuillage fin est porté par des tiges ayant tendance à s'étaler et à recouvrir le sol. Au cours des hivers froids, rabattez-la au sol : de nouvelles pousses apparaîtront au printemps.

H : 30 cm, **L** : 30 cm
❄❄ 💧 ☼ 🏆

Aster 'Coombe Fishacre'

En septembre, peu de plantes égalent cette variété d'**aster** à longue période de floraison et idéale pour les petits jardins. Ses capitules roses à centre plus foncé, ressemblant à des marguerites, se forment à profusion jusqu'aux gelées.

H : 60 cm, **L** : 60 cm
❄❄❄ 💧 ☼ 🏆

Astrantia major

Cette belle vivace est de plus en plus cultivée, la gamme des variétés s'étant élargie. Au printemps, les touffes de feuilles se couvrent de fleurs délicates portées par de longues tiges, avec des bractées blanches ou roses qui ressemblent à des pétales.

H : 45 cm, **L** : 30 cm
❄❄❄ 💧 ☼ ◐

Bergenia purpurascens

Cette variété est plus compacte et présente un intérêt saisonnier plus durable que la plupart des **bergénias**. Elle est idéale dans un petit jardin. Son beau feuillage lustré vire au pourpre foncé en hiver et ses jolies fleurs printanières sont pourpre rosé.

H : 30 cm, **L** : 60 cm
❄❄❄ 💧 ☼ ◐ 🏆

Calluna vulgaris 'Silver Knight'

Avec son feuillage argenté, cette **bruyère commune**, un petit arbuste persistant excellent couvre-sol, se place parmi les meilleures bruyères. À maturité, elle produit un fin nuage argenté de végétation dense et érigée. Facile à cultiver, elle exige un sol acide.

H : 30 cm, **L** : 60 cm
❄❄❄ 💧 💧 ☼

Campanula glomerata
Cette variété est l'une des **campanules** les plus faciles à cultiver. Cette vivace basse et étalée est un excellent couvre-sol d'été, se ressemant abondamment. De juin à l'automne, ses courtes tiges portent des grappes de fleurs en clochette bleues ou blanches.

H : 30 cm, **L** : 1 m
❄❄❄ 💧 💧 ☼ ◑

Catananche caerulea
Cette vivace est cultivée au soleil pour ses fleurs bleu lavande qui se forment en été et en automne. Elle ressemble à un bleuet pâle. Les fleurs sont portées par des tiges raides sur une touffe de feuilles argentées. Elles s'associent bien aux plantes à floraison claire.

H : 60 cm, **L** : 30 cm
❄❄ 💧 ☼

Ceratostigma plumbaginoides
Facile à cultiver, le **plumbago rampant** est un arbuste tapissant qui fleurit après la plupart des autres plantes et s'étale pour former de grandes touffes. Ses fleurs bleu foncé s'épanouissent au-dessus d'un feuillage qui vire au rouge avant de tomber.

H : 30 cm, **L** : 60 cm
❄❄ 💧 ☼ 🏆

Cerinthe major
Poussant vite par semis, cette annuelle forme un petit buisson se couvrant de feuilles bleu argent. Des fleurs campanulées pourpres, persistant longtemps, lui donne une belle apparence, presque chatoyante. Elle se ressème abondamment.

H : 45 cm, **L** : 30 cm
❄❄❄ 💧 ☼

Convolvulus cneorum
Le **liseron** est un arbuste persistant de croissance lente, cultivé pour ses feuilles tendres, vert argenté, et ses fleurs blanches en entonnoir produites à profusion en été. Chaque fleur ne dure pas plus d'une journée, mais la floraison s'étale sur plusieurs semaines.

H : 50 cm, **L** : 1 m
❄❄ 💧 ☼ 🏆

Diascia barberae 'Blackthorn Apricot'
Souvent cultivée comme annuelle, cette plante est vivace en conditions idéales. Bien que rabattue au sol en hiver, de nouvelles tiges apparaissent au printemps en touffe. Elles portent tout l'été des fleurs couleur pêche.

H : 30 cm, **L** : 30 cm
❄❄ 💧 ☼ 🏆

Petites plantes pour situation ensoleillée

Erica carnea 'Foxhollow'

Les **bruyères** à floraison hivernale sont légion, mais celle-ci, exceptionnelle, se couvre de petites fleurs en forme de grelot rose pâle. Ses feuilles vert pâle, à l'aspect d'aiguilles, se teintent de rouge. C'est une bonne plante à végétation basse.

H : 20 cm, **L** : 60 cm

Erigeron karvinskianus

La **vergerette**, une petite marguerite mexicaine, est bienvenue au jardin, où elle pousse entre les dalles ou dans les murs de vieilles pierre, là où il fait chaud et sec. Ses petits capitules blancs teintés de rose s'épanouissent de juin à l'hiver en touffe basse.

H : 20 cm, **L** : 60 cm

Erysimum 'Bowles' Mauve'

Au printemps et en été, cette superbe **giroflée** est idéale dans un jardin de curé pour apporter de la couleur. Elle forme un petit arbuste persistant à feuilles gris-vert. Au printemps, ses tiges florales se couvrent rapidement de fleurs pourpres.

H : 60 cm, **L** : 60 cm

Euphorbia cyparissias 'Fens Ruby'

Cette **euphorbe petit-cyprès** de croissance lente est parfois envahissante. Au printemps, ses pousses vert pourpré portent des feuilles délicates. De petites fleurs vert citron se forment plus tard dans la saison.

H : 30 cm, **L** : 2 m

Euphorbia rigida

Cette **euphorbe** est splendide dans une rocaille ensoleillée. Ses tiges charnues partent d'une couronne centrale, puis rampent le long du sol comme un serpent, portant d'étroites feuilles triangulaires bleu argent. Des fleurs vert citron apparaissent en juin.

H : 20 cm, **L** : 60 cm

Francoa sonchifolia

Cette vivace est un excellent couvre-sol pour un endroit chaud et sec. Ses feuilles charnues se développent à partir d'une tige rampante qui produit en juillet-août des hampes érigées, portant bien au-dessus du feuillage des fleurs rose pâle à taches rose foncé.

H : 60 cm, **L** : 60 cm

***Fuchsia* 'Genii'**
Ce **fuchsia** rustique et compact est une variété sûre. D'août à l'automne, jusqu'aux gelées, il produit de nombreuses fleurs pendantes pourpre et rouge. Les boutons sont mis en valeur par des feuilles jaunes, qui rehaussent la beauté de la plante.

H : 60 cm, **L** : 60 cm

Gaura lindheimeri
Cette vivace délicate est parfaite sur le devant des massifs. De juillet à octobre, elle produit des grappes de fleurs blanches plates portées par de fines tiges. Un gel sévère la rabat légèrement mais, avec une protection, de nouvelles pousses apparaissent au printemps.

H : jusqu'à 1 m, **L** : 1 m

***Geranium* 'Ann Folkard'**
Ce **géranium** rustique est cultivé à la fois pour ses fleurs et son feuillage. Ses feuilles dentées, jaune d'or vif quand elles sont jeunes, verdissent à maturité. De grandes fleurs en coupe magenta à centre noir s'épanouissent en été.

H : 60 cm, **L** : 1 m

***Geranium* 'Rozanne' ('Gerwat')**
Cette variété est l'un des plus beaux **géraniums** rustiques. De juin jusqu'à l'automne, ses tiges rampantes recouvrent le sol sans s'enraciner en produisant de nombreuses grandes fleurs en coupe bleu vif. Rabattez ses tiges en hiver.

H : 45 cm, **L** : 60 cm

Geum coccineum
La **benoîte** est une jolie vivace en touffe à floraison estivale. Elle forme une rosette de feuilles vertes et dentées, et produit des fleurs très décoratives, en coupe plate, rouge orangé à étamines jaunes. Cette plante aime le soleil, mais pas les sols trop secs.

H : 50 cm, **L** : 30 cm

Geum rivale
Cette vivace, la **benoîte des rives**, est idéale au jardin, en zone humide, dans un coin plus sauvage. Elle forme une touffe de feuilles et produit en juin, durant plusieurs semaines, des fleurs campanulées vieux rose et rouges.

H : 50 cm, **L** : 30 cm

Petites plantes pour situation ensoleillée

***Hakonechloa macra* 'Aureola'**
Cette graminée ornementale est une excellente plante de jardin, à feuilles rayées de vert et de jaune, formant une touffe basse. La plante s'étend lentement à partir de fins rhizomes et prospère en diverses situations, notamment au soleil, si le sol reste frais.

H : 30 cm, **L** : 40 cm

***Helianthemum* 'Rhodanthe Carneum' ('Wisley Pink')**
L'**hélianthème**, à croissance lente, est idéal dans une rocaille ensoleillée. En juin, ses feuilles ovales et argentées persistantes s'agrémentent de fleurs rose argenté. Elles durent une journée, mais sont produites à profusion.

H : 30 cm, **L** : 50 cm

***Hemerocallis* 'Golden Chimes'**
Cette élégante **hémérocalle**, compacte et florifère, est un atout pour un petit jardin. En été, ses hampes florales surgissent d'une touffe de feuilles étroites et arquées. Les fleurs en trompette jaune vif ont un revers brun rougeâtre.

H : jusqu'à 1 m, **L** : 50 cm

Hypericum olympicum
Le **millepertuis**, un arbuste de croissance lente, est parfait pour une situation dégagée au soleil. Il est splendide en été. Ses petites feuilles gris-vert mettent bien en valeur ses fleurs étoilées jaunes produites en cymes à l'extrémité des tiges.

H : 30 cm, **L** : 50 cm

Iris unguicularis
Cet **iris** persistant d'intérêt hivernal est particulièrement remarquable. La plus grande partie de l'année, il passe inaperçu mais en hiver, lorsque le temps est doux, il produit pendant plusieurs semaines de délicates fleurs mauve lavande à taches jaunes.

H : 30 cm, **L** : 60 cm

Lychnis flos-cuculi
Cette vivace à durée de vie courte a pour nom **fleur-de-coucou**. En juin, elle produit de grandes tiges florales portant des fleurs plates étoilées, en général roses, parfois blanches, à longs pétales étroits. Elle apprécie l'ombre humide.

H : 75 cm, **L** : 30 cm

Narcissus **'Jetfire'**
De nombreuses variétés de **narcisses** sont intéressantes, mais celle-ci, qui produit en mars d'élégantes fleurs colorées, est remarquable. Les segments du périanthe, jaune d'or lumineux, forment un beau contraste avec la couronne rouge orangé.

H : 22 cm, **L** : 10 cm

Nepeta **x *faassenii***
Utile et facile à cultiver, la **chataire** est une plante en touffe à tiges étalées. Son tendre feuillage aromatique vert-bleu attire les chats. En été, elle produit des épis de fleurs bleues. Rabattue après floraison, elle peut en faire une seconde.

H : 50 cm, **L** : 50 cm

Oenothera speciosa
L'**œnothère**, plante de croissance lente, aime le soleil. Il s'étale librement, surtout en sol léger, en produisant de courtes tiges érigées. Les boutons pointus donnent de grandes fleurs en coupe, roses, qui durent peu mais se forment à profusion tout l'été.

H : 30 cm, **L** : 50 cm

Osteospermum **'Sunny Serena'**
Cette vivace gélive, le **dimorphotéca**, est cultivée pour ses jolis capitules de l'été à l'automne. Elle est idéale en pot ou pour remplir des trous dans un massif ou une plate-bande ensoleillés. Supprimez les fleurs fanées et apportez un engrais aux plantes en pots.

H : 60 cm, **L** : 30 cm

Penstemon **'Alice Hindley'**
Avec ses grappes érigées de fleurs chatoyantes violet-mauve clair, c'est l'un des meilleurs **penstémons**. Ses feuilles ovales sont portées par des tiges ligneuses. Rabattez-le au printemps, quand les nouvelles pousses se forment à la base.

H : 75 cm, **L** : 50 cm

Penstemon **'Andenken an Friedrich Hahn'**
Ce **penstémon**, très cultivé, est plus connu sous le nom de *P.* 'Garnet'. Il produit de l'été à l'automne, jusqu'aux premiers gels, des grappes lâches mais érigées de fleurs tubulaires d'un rouge vineux.

H : 75 cm, **L** : 60 cm

Petites plantes pour situation ensoleillée

***Persicaria affinis* 'Superba'**
Comme couvre-sol, peu de plantes égalent ce **polygonum** vivace, notamment en août et en automne, quand ses fleurs s'ouvrent d'abord rose pâle, puis virent au cramoisi, en créant un splendide effet bicolore. Ses feuilles brun rouille tapissent le sol en hiver.

H : 30 cm, **L** : 60 cm
❄❄❄ 💧 💧 ☼ ◑ 🏆

***Phlox* 'Chattahoochee'**
Cette vivace de croissance lente est idéale pour le devant d'un massif ou comme plante de rocaille. Au début de l'été, le **phlox** produit à profusion des cymes de splendides fleurs lilas à œil central rouge pourpré.

H : 30 cm, **L** : 60 cm
❄❄❄ 💧 ☼ ◑

***Pittosporum tenuifolium* 'Tom Thumb'**
Avec son port compact et son feuillage acajou, cet arbuste persistant enrichit considérablement un petit jardin. Au printemps, les nouvelles pousses vertes apparaissent, créant un bel effet bicolore.

H : jusqu'à 1 m, **L** : 60 cm
❄❄ 💧 ☼ 🏆

Pulsatilla vulgaris
La **pulsatille** est une très jolie fleur printanière. Son feuillage découpé forme une petite touffe et ses petites fleurs étoilées, en général pourpres, parfois roses, rouges ou blanches, portent un bouquet d'étamines dorées. Elle préfère les sols alcalins.

H : 30 cm, **L** : 20 cm
❄❄❄ 💧 ☼ 🏆

***Rudbeckia fulgida* var. *sullivantii* 'Goldsturm'**
Les **rudbéckias**, vivaces à floraison automnale, sont précieux. Cette variété présente un port compact. Ses capitules, à étroits pétales dorés et à centre conique noir, s'épanouissent au sommet de tiges robustes.

H : 60 cm, **L** : 60 cm
❄❄❄ 💧 💧 ☼ 🏆

***Sedum* 'Herbstfreude'**
Avec ses tiges et ses feuilles succulentes gris-vert, cet **orpin** supporte la sécheresse et le soleil brûlant. En août, durant plusieurs semaines, s'épanouissent des corymbes plats de fleurs rouille qui, une fois secs, restent décoratifs.

H : 60 cm, **L** : 1 m
❄❄❄ 💧 ☼ 🏆

***Sisyrinchium striatum* 'Aunt May'**
Toute l'année, cette plante au feuillage linéaire et lancéolé, strié dans sa longueur de crème et de gris-vert, forme de beaux contrastes avec des formes rondes. En juin se succèdent des bouquets de fleurs jaune primevère.

H : 60 cm, **L** : 30 cm

***Stachys byzantina* 'Big Ears'**
Cette variété exhibe de grandes feuilles ovales, couvertes de duvet blanc argenté. De croissance lente, elle est idéale pour le devant d'un massif de plantes à coloris clairs. En été, elle produit des épis érigés de fleurs mauves.

H : 60 cm, **L** : 1 m

Stipa tenuissima
Cette graminée vivace est décorative une grande partie de l'année. Au printemps, ses pousses sont vert tendre et, en été, ses panicules lui donnent une apparence duveteuse. Lorsque les graines se forment, elle prend une couleur paille.

H : 60 cm, **L** : 30 cm

***Veronica gentianoides* 'Tissington White'**
Très décorative en juin, cette **véronique**, une vivace de croissance lente, recouvre le sol de feuilles ovales et lustrées. De nombreuses grappes de fleurs gris-blanc s'épanouissent en mai et persistent plusieurs semaines.

H : 60 cm, **L** : 60 cm

Vinca difformis
Les **pervenches** sont des couvre-sol très cultivés et cette espèce est l'une des plus raffinées. Ses fleurs sont très séduisantes : produites durant une grande partie de l'hiver et au printemps, elles sont en forme d'hélice, bleu pâle à presque blanc.

H : 60 cm, **L** : 1,20 m

Zauschneria californica
Cette plante à floraison spectaculaire exige une situation chaude : elle est parfaite au soleil où elle forme une touffe basse de petites feuilles gris-vert. En août apparaissent des grappes de fleurs rouge orangé brillant, évoquant un petit fuchsia.

H : 60 cm, **L** : 60 cm

Petites plantes pour situation ombragée

Alchemilla mollis
Connue sous le nom d'**alchémille**, cette vivace apprécie l'ombre. Ses feuilles vert tendre forment une petite touffe et retiennent les gouttes de pluie avec charme. Durant les mois d'été, elle produit de petites fleurs vert citron en cymes.

H : 30 cm, **L** : 60 cm

***Arum italicum* subsp. *italicum* 'Marmoratum'**
Cet **arum** est cultivé pour son feuillage d'hiver. Des feuilles coriaces, veinées de blanc argenté, apparaissent en novembre. En été, ses fleurs vertes sans intérêt sont suivies de baies rouges, toxiques mais très décoratives.

H : 60 cm, **L** : 30 cm

***Brunnera macrophylla* 'Dawson's White'**
Cette vivace compacte, le **myosotis du Caucase**, a besoin d'une situation fraîche et humide. Ses feuilles cordiformes et poilues, marginées de blanc, et ses fleurs bleues en panicules sont très décoratives.

H : 30 cm, **L** : 30 cm

***Carex elata* 'Aurea'**
Formant une fontaine lumineuse de feuilles jaune soutenu, cette vivace en touffe, caduque, est parfaite pour un sol humide, voire détrempé, à l'ombre. Elle resplendit parmi des plantes sombres, notamment au printemps, lorsque ses feuilles sont encore jeunes.

H : 70 cm, **L** : 45 cm

Cornus canadensis
Peu cultivé, ce **cornouiller du Canada** s'étend par rhizomes en sol acide. Ses feuilles sont portées par de courtes tiges. De jolies fleurs blanches en cymes se forment en juin. Elles sont entourées de quatre bractées et parfois suivies de baies rouges.

H : 20 cm, **L** : 1 m

Corydalis flexuosa
Cette élégante vivace se plaît dans un endroit frais et démarre très tôt en végétation. Ses tiges charnues produisent des feuilles divisées et des grappes de fleurs bleu électrique évoquant des bancs de poissons. Après la floraison, le plant dépérit rapidement.

H : 20 cm, **L** : 60 cm

Cyclamen hederifolium

Le **cyclamen de Naples** est une plante essentielle pour sa floraison d'automne. Il se développe à partir d'un tubercule placé au-dessous de la surface du sol qui produit des masses de fleurs roses ou blanches, suivies de feuilles décoratives, vert foncé marbrées d'argent.

H : 10 cm, **L** : 20 cm

❄❄❄ 💧 💧 ☀ 🏆

Daphne laureola subsp. *philippi*

Ce persistant arbustif érigé, de croissance lente est parfait dans un petit jardin. Ses feuilles lustrées sont regroupées à l'extrémité des tiges, où des fleurs vertes campanulées très parfumées apparaissent en février. Elles sont suivies de baies noires.

H : 60 cm, **L** : 1 m

❄❄❄ 💧 💧 ☀

Epimedium x *versicolor*

L'**elfe** est une vivace en touffe, facile à cultiver à l'ombre des arbustes. Ses élégantes feuilles divisées, souvent teintées de bronze, sont décoratives, surtout au printemps, quand les grappes de fleurs jaunes, orange ou roses, apparaissent.

H : 20 cm, **L** : 30 cm

❄❄❄ 💧 💧 ☀ 🏆

Galanthus nivalis

Les premières fleurs du **perce-neige** annoncent l'imminence du printemps. Cette plante se plaît à l'ombre et se reproduit rapidement en formant de grosses touffes, qu'il faut diviser régulièrement pour la voir refleurir l'année suivante.

H : 10 cm, **L** : 20 cm

❄❄❄ 💧 💧 ☀ 🏆

Geranium macrorrhizum

Ce **géranium** très rustique, de croissance lente, est idéal sous de grands arbustes où il forme un couvre-sol dense à feuilles tendres et aromatiques. Au printemps, ses courtes tiges portent des fleurs roses, mauves ou blanches durant plusieurs semaines.

H : 30 cm, **L** : 60 cm

❄❄❄ 💧 💧 ☀

Helleborus x *hybridus*

Vivaces à floraison printanière, les **hellébores** sont très cultivés. En février, les nouvelles pousses surgissent. Les fleurs pendantes de toutes les couleurs, sauf le bleu, apparaissent avant les feuilles. La floraison dure plusieurs semaines.

H : 50 cm, **L** : 30 cm

❄❄❄ 💧 💧 ☀

Petites plantes pour situation ombragée

***Heuchera* 'Plum Pudding'**
À l'ombre, cette plante à feuillage est un atout idéal. Ses feuilles persistantes rondes à bord ondulé, rouge pourpré à taches argentées, donnent à l'**heuchère** un reflet métallique. En été, des fleurs en panicules se forment au-dessus du feuillage.

H : 60 cm, **L** : 30 cm

***Lysimachia nummularia* 'Aurea'**
La **lysimaque**, vivace à feuillage très coloré, est souvent utilisée au jardin pour créer un effet spectaculaire. Ses feuilles ovales et dorées sont portées par des tiges poussant à plat sur le sol et formant un tapis dense. Des fleurs jaunes en coupe se forment en été.

H : 3 cm, **L** : 1 m

Meconopsis cambrica
Ce délicieux **pavot jaune** est toujours bienvenu dans un jardin ; ses fleurs et son feuillage frais illuminent les coins ombragés. Les premières, portées au-dessus du feuillage par wde fines tiges, ont des teintes jaunes ou orange.

H : 50 cm, **L** : 30 cm

***Omphalodes cappadocica* 'Cherry Ingram'**
Cette petite vivace est charmante au printemps. Ses petites feuilles forment une touffe compacte, à végétation précoce. Elle produit pendant plusieurs semaines de petites grappes de très belles fleurs étoilées bleu-mauve.

H : 20 cm, **L** : 30 cm

***Ophiopogon planiscapus* 'Nigrescens'**
Cette vivace s'associe à beaucoup d'autres plantes. Elle forme une touffe compacte et persistante, à feuillage graminiforme presque noir. En été, de petites fleurs mauves apparaissent, suivies de fruits noirs.

H : 15 cm, **L** : 20 cm

Pachysandra terminalis
Ce couvre-sol persistant prospère à l'ombre sèche sous des arbres ou des arbustes. Ses feuilles dentées forment un tapis qui freine le développement des mauvaises herbes. La plante se propage par drageons souterrains. En été, elle produit des fleurs blanches.

H : 20 cm, **L** : 60 cm

Primula pulverulenta
La **primevère candélabre** exige un sol riche et humide. Les feuilles apparaissent au printemps avant les fleurs. Les hampes robustes, recouvertes d'une pellicule blanche farineuse, contrastent avec de petites fleurs rouge pourpré en verticilles ronds.

H : 60 cm, **L** : 30 cm

Primula vulgaris
La **primevère commune** ne dépare pas au jardin. Elle apprécie un massif ombragé sous des arbres ou arbustes, une rocaille fraîche ou se naturalise dans l'herbe. En mars, des fleurs plates jaunes, blanches ou même roses se succèdent durant plusieurs semaines.

H : 15 cm, **L** : 20 cm

***Pulmonaria* 'Sissinghurst White'**
Cette vivace, une **pulmonaire**, est une excellente plante de jardin, produisant un feuillage vert argent et de jolies fleurs en entonnoir durant plusieurs semaines. Cette belle variété a des fleurs blanches qui ressortent bien dans l'ombre.

H : 20 cm, **L** : 60 cm

Saxifraga fortunei
La **saxifrage** est remarquable pour sa floraison tardive, bien que certaines variétés fleurissent en été. Elle forme une touffe d'élégantes feuilles lustrées et découpées. Des fleurs blanches en panicule apparaissent avant les gelées.

H : 50 cm, **L** : 30 cm

Tiarella cordifolia
Ce bon couvre-sol vivace se propage par rhizomes et colonise de petites surfaces. Ses feuilles tendres et divisées sont ombrées de pourpre. Au printemps, de courtes tiges portent de petites fleurs blanches teintées de rose.

H : 20 cm, **L** : 60 cm

Uvularia grandiflora
Cette élégante vivace fleurit en avril. Ses grandes tiges robustes à feuilles ovales portent des fleurs campanulées jaunes, pendantes, à longs pétales tordus. Assez difficile, elle préfère un sol humide et frais, enrichi de matières organiques.

H : 60 cm, **L** : 30 cm

Index

A

Abutilon x *suntense* (abutilon) 40, 124
Acacia dealbata 40, 124
Acanthus mollis (acanthe) 14, 130
Acer (érable) 31
  A. japonicum (érable du Japon) 17, 25, 34, 35
  A. palmatum 43
    var. *dissectum* 128
  A. shirasawanum 'Aureum' 138
Achillea (achillée) 113
Acide, sol 43
Acidité, test d' 38
Actuel, jardin 34
Agapanthus (agapanthe) 14, 25, 113
Agave 14
Ail d'ornement *voir Allium hollandicum*
Akebia quinata 20
Alcalin, sol 42
Alcalinité, test d' 38
Alchemilla mollis (alchémille) 41, 42, 152
Allium 25
  A. hollandicum 'Purple Sensation' 40, 85, 130
  A. schoenoprasum 144
Althéa *voir Hibiscus*
Altise 119
Ancolie *voir Aquilegia*
Andromède voir *Pieris*
Anemanthele lessoniana 85, 138
Anemone (anémone) 20
  A. x *hybrida* 'Honorine Jobert' 41, 138
Angelica archangelica (angélique) 130
Annuelles, semis 64-67
Aquilegia groupe McKana 42, 138
Arbousier *voir Arbutus*
Arbre à papillons *voir Buddleja*
Arbre à perruques *voir Cotinus*
Arbre aux faisans *voir Leycesteria*
Arbre aux fraises *voir Arbutus*
Arbres
  association avec des arbustes 75-76
  comme point de mire 12
  intérêt automnal 18, 25
  intérêt hivernal 18
  plantation 56-59
Arbustes
  association avec des arbres 75-76
  intérêt automnal 18
  intérêt hivernal 18
  plantation 60-61
Arbutus unedo 31, 124
Archangélique *voir Angelica*
Architecturales, lignes et formes 17, 26
Argent, couleur 11, 22, 104-105
Argileux, sol 38
  plantes pour 41
  test 39
Armoise *voir Artemisia*
Aromatiques, plantes 14, 34, 84, 86-87
Arrosage 110-111
  automatique 111
Artemisia 22
  A. alba 'Canescens' 40, 144
Arum italicum subsp. *italicum* 'Marmoratum' 26, 41, 152
Aruncus dioicus 41, 138
Associations de plantes 68-91
Astelia nervosa 35
Aster 18, 25, 30, 88
  A. 'Coombe Fishacre' 42, 113, 144
  A. turbinellus 113, 130
Astilboides tabularis 43, 138
Astrantia (astrance) 30, 35
  A. major 113, 144
Aucuba japonica (aucuba) 31, 35, 41, 139
  'Picturata' 76
Aunée *voir Inula*
Aurinia saxatilis 'Variegata' 70
Automnal, intérêt 18, 24-25, 88-89, 104-105
Avoine géante *voir Stipa gigantea*
Azalée de Chine *voir Rhododendron*
Azote, engrais riches en 112

B

Balisier *voir Canna*
Bambou 14, 17
  voir aussi Phyllostachys
Bambou sacré *voir Nandina*
Bananier *voir Musa*
Barbe-de-bouc *voir Aruncus*
Bêchage d'un massif 46-48
Begonia 14, 102
  B. fuchsioides 100
Benoîte *voir Geum*
Berberis (berbéris)
  B. darwinii 41, 139
  B. thunbergii f. *atropurpurea* 'Dart's Red Lady' 130
Bergenia purpurascens 144
Betula (bouleau) 43
  B. pendula 18
  B. utilis var. *jacquemontii* 124
Blanc, couleur 11, 22
Bleu, couleur 11, 104-105
Bleuet *voir Centaurea*
Bois
  bordure en 50
  pots en 95
Bordures de pelouse 49-50
Botrytis 121
Bouleau *voir Betula*
Bouleau de l'Himalaya *voir Betula utilis*
Briques, bordure en 50
Brodé, jardin 34
Brunnera macrophylla 'Dawson's White' 152
Bruyère *voir Calluna, Erica*
Bruyère des neiges *voir Erica carnea*
Bud blast du rhododendron 121
Buddleja davidii 'Dartmoor' (buddléia) 42, 124
Buis *voir Buxus*
Bulbes
  intérêt automnal 18, 25
  intérêt estival 22
  intérêt printanier 18, 20, 37, 98
  point de mire 12
Bupleurum fruticosum (buplèvre) 40, 130
Buxus sempervirens (buis) 14, 30, 34, 41, 42, 82, 131

C

Calamagrostis brachytricha 88
Calcaire, sol 38
Calibrachoa (pétunia) 102
  C. 'Million Bells' 102
Calluna vulgaris 'Silver Knight' 40, 43, 144
Camassia 20
Camellia (camélia) 43
  C. japonica 'Bob's Tinsie' 139
  C. sasanqua 34, 128
Campanula glomerata (campanule) 41, 42, 145
Canna 14, 30, 35
  C. 'Musifolia' 100
  C. 'Striata' 131
  hybrides orange 100
Capside 119
Cardon *voir Cynara*
Carex
  C. comans 'Frosted Curls' 74
  C. elata 41
    'Aurea' 43, 152
Carrelage 14
Catananche caerulea 40, 113, 145
Centaurea cyanus (bleuet) 14
Ceratostigma plumbaginoides 145
Cercis canadensis 'Forest Pansy' 43, 128
Cerinthe major 145
Cerisier à fleur *voir Prunus*
Cestrum parqui 124
Chamaecyparis lawsoniana 90
Champêtre, jardin 14
Chataire *voir Nepeta*
Chèvrefeuille *voir Lonicera*
Chimonanthus praecox (chimonanthe) 26, 131
Choisya
  C. ternata 35
    'Sundance' 31, 42, 131
Chrysanthemum 25
Ciboulette *voir Allium schoenoprasum*
Cistus (ciste) 17
  C. x *hybridus* 40, 131
Clematis (clématite) 30, 42
  C. 'Alba Luxurians' 125
  C. alpina 20
  C. armandii 35
  C. cirrhosa 42, 125
  C. macropetala 20
  C. montana 20
  C. 'Perle d'Azur' 125
Clôtures
  bordures 37
  dissimuler les 8
  grimpantes pour 20
Cœur-de-Marie *voir Dicentra*
Colchicum 18
Compost, faire son 52-53
Conifères 14
Contemporain, jardin 35
Convolvulus cneorum 40, 145
Cordyline 82
Cornus (cornouiller) 18
  C. canadensis 43, 152
  C. kousa var. *chinensis* 43, 125
  C. sanguinea 'Winter Beauty' 30, 41, 90, 139

orrea 'Dusky Bells'
orydalis flexuosa (corydale) 43, 152
otinus
C. coggygria 'Royal Purple' 42, 125
C. 'Grace' 76
otoneaster horizontalis (cotonéaster) 31, 40, 42, 139
ouleur au jardin 10-11
dissonances 102-110
intérêt automnal 25
intérêt estival 22-23
intérêt hivernal 26, 90-91
plantations monochromes 11
point de mire 12
tons chauds 11, 78-79, 100-101
ours 8
rème, couleur 11, 22
riocère du lis 119
rocosmia (crocosmia) 22
C. x *crocosmiiflora* 'Star of the East' 100
'Venus' 132
rocus 18, 20, 104
upidone *voir Catananche*
uré, jardin de 17, 35, 72-73
yclamen 25
C. hederifolium (cyclamen de Naples) 104, 153
ynara cardunculus 125

D

Dahlia (dahlia) 18, 30, 35, 113
D. 'Bishop of Llandaff' 132
Daphne
D. bholua 'Jacqueline Postill' 43, 128
D. laureola subsp. *philippi* 153
Dasylirion 12
Delphinium 17, 35, 113
D. grandiflorum 'Summer Blues' 72
D. 'New Zealand Hybrids' 72
Deschampsia flexuosa 'Tatra Gold' 82
Desfontainea spinosa 43, 139
Deutzia x *rosea* 'Campanulata' 132
Diascia barberae 'Blackthorn Apricot' 145
Dicentra spectabilis (cœur-de-Marie) 20, 113, 140
Dicksonia antarctica 30, 34, 128
Dierama pulcherrimum 132
Digitalis (digitale) 17
D. purpurea 35, 41, 43, 140
Dimorphotéca *voir Osteospermum*
Doronicum 20

E

Eau, élément décoratif 14
Echinacea purpurea 30, 113, 132
Echinops 25
Écorce de pin 51
Écrans 8
Elfe *voir Epimedium*
Enfants, jardins pour les 32
Engrais 60, 112
chimiques 112
à libération lente 112
liquides 112
organiques 112
Entretien 29, 30-31, 108-121
Epimedium 20
E. x *versicolor* 153
Épinaire laineuse *voir Stachys*
Épine-vinette *voir Berberis*
Érable *voir Acer*
Erica (bruyère)
E. carnea 'Foxhollow' 42, 146
E. x *darleyensis* 'Archie Graham' 90
Erigeron karvinskianus 146
Erysimum 30
E. 'Bowles' Mauve' 40, 42, 146
Escaliers 12
Escargot 118, 119
Eschscholzia (pavot de Californie) 64
Estival, intérêt 18, 22-23
Étiquetage des graines 66
Eulalie *voir Miscanthus*
Euonymus 26
E. fortunei 'Blondy' 106
Euphorbia (euphorbe)
E. amygdaloides 'Purpurea' 74
E. characias 40, 41, 132
subsp. *wulfenii* 85
E. cyparissias 'Fens Ruby' (euphorbe petit-cyprès) 146
E. griffithii 'Fireglow' 78
E. x *martinii* 133
E. rigida 40, 146
Exposition du jardin 36-37

F

Fatsia japonica 31, 34, 80, 128
Fausse perspective 8
Faux aralia *voir Fatsia*
Fenouil bronze *voir Foeniculum*
Festuca glauca 'Elijah Blue' 104
Feuillages 11, 22, 74-75, 80-81
panachés 11, 80-81
Fibre de coco, paillis 51
Fleur-de-coucou *voir Lychnis*
Foeniculum (fenouil bronze) 78
Fontaine 14
Fougère arborescente 14, 17
voir aussi Dicksonia antartica
Fourmi 119
Francoa sonchifolia 146
Fritillaire 20
Fructifications d'automne 25
Fuchsia 'Genii' 147
Funkia *voir Hosta*

G

Gainier *voir Cercis*
Galanthus nivalis (perce-neige) 20, 98, 153
Galtonia 22
Gaura lindheimeri 113, 147
Genévrier *voir Juniperus*
Géotextile 51
Geranium 35, 41
G. 'Ann Folkard' 147
G. macrorrhizum 153
G. x *oxonianum* 'Claridge Druce' 140
G. 'Rozanne' ('Gerwat') 147
Géranium Robert 117
Geum
G. 'Blazing Sunset' 72
G. coccineum 113, 147
G. rivale 147
Giroflée *voir Erysimum*
Glaïeul 22
Glycine *voir Wisteria*
Gouet *voir Arum*
Graines décoratives 18, 25
Graminées 17, 25, 26, 88-89
Grande ortie 116
Grandes plantes
pour l'ombre 128-129
pour le soleil 124-127
Gravier 17
entretien 34
jardins 70-71
paillis 51
Grevillea (grévilléa)
G. 'Canberra Gem' 40, 43, 133
G. juniperina 76
Grimpantes 20
plantation 62-63
Groseillier à fleur *voir Ribes*

H

Haies, taille 34
Hakonechloa macra 'Aureola' 102, 148
Hamamelis (hamamélis) 26
Hebe 42
H. 'Midsummer Beauty' 133
H. salicifolia 80
Hedera helix 'Glacier' 106
Hedychium 14, 35
H. densiflorum 43, 140
H. gardnerianum 35
Helenium (hélénie) 30
H. 'Moorheim Beauty' 113, 133
Helianthemum 'Rhodanthe Carneum' ('Wisley Pink') (hélianthème) 40, 148
Helictotrichon sempervirens 70
Helleborus
H. argutifolius (hellébore de Corse) 40, 140
H. x *hybridus* 26, 153
Hemerocallis (hémérocalle) 31, 41
H. 'Corky' 30, 133
H. 'Golden Chimes' 148
Herbe-aux-écouvillons *voir Pennisetum*
Herbe-aux-goutteux 117
Herbe-aux-turquoises *voir Ophiopogon*
Heuchera 'Plum Pudding' (heuchère) 74, 154
Hibiscus syriacus 'Oiseau Bleu' 42, 133
Hivernal, intérêt 18, 26-27, 90-91
parfums 106-107
Hortensia *voir Hydrangea*
Hosta 30, 41
H. 'Francee' 80
H. 'Jade Cascade' 140
H. 'June' 30
H. sieboldiana 141
H. 'Sum and Substance' 141
Houx *voir Ilex*
Humides, zones 37
Hyacinthus orientalis 'Ostara' 98
Hydrangea (hortensia)
H. macrophylla 'Lanarth White' 41, 141
H. quercifolia 43, 129
Hydrorétenteurs 97
Hypericum olympicum 148

Index

I

If *voir Taxus*
Ilex (houx)
I. aquifolium 'Silver Queen' 31, 129
I. crenata 17
var. *latifolia* 141
Impatiens (impatience) 102
Intérêt saisonnier 18-27, 37
Inula hookeri 134
Iris (iris)
I. foetidissima 141
I. 'Jane Phillips' 84
I. 'Katherine Hodgkin' 98
I. laevigata 41, 134
I. reticulata 98
I. sibirica 'Perry's Blue' 41, 134
I. unguicularis 26, 40, 42, 148
I. winogradowii 98
Isoplexis canariensis 100
Italien, jardin 14

J, K, L

Japonais, jardin 17, 34
Jardin tropical *voir* subtropical
Jardins à thème 14-17
couleur 22-23
Jasminum (jasmin) 14
J. nudiflorum (jasmin d'hiver) 31, 41, 42, 126
Jaune, couleur 11, 78-79
Juniperus (genévrier)
J. chinensis 'Stricta' 104
J. communis 'Hibernica' 126
Kniphofia 88
Laîche dorée *voir Carex elata*
Lantana 14
Lauréole *voir Daphne laureola*
Laurier des bois *voir Daphne laureola*
Lavandula (lavande) 17, 30, 34
L. angustifolia 'Twickel Purple' 86
L. stoechas (lavande papillon) 40, 42, 134
Leucanthemum x *superbum* (marguerite) 17
Leucothoe fontanesiana 'Rainbow' 43, 141
Leycesteria formosa 41, 142
Ligularia dentata 'Desdemona' (ligulaire) 142
Lilium (lis) 22, 30
L. regale 30, 134
Limace 118, 119
Limites, masquer les 8
Limoneux, sol 38
Lin de Nouvelle-Zélande *voir Phormium*
Lis *voir Lilium*
Lis d'un jour *voir Hemerocallis*
Lis royal *voir Lilium regale*
Liseron 116
voir aussi Convolvulus
Lobelia tupa (lobélie) 134
Lonicera (chèvrefeuille) 42
L. periclymenum 'Belgica' 20
'Graham Thomas' 129
L. x *purpusii* 26
Lupinus (lupin) 78, 113
Lutte chimique
maladies 120
mauvaises herbes 115
ravageurs 118
Lutte contre les mauvaises herbes 114-115
Lychnis flos-cuculi 148
Lysimachia nummularia 'Aurea' (lysimaque) 154

M

Magnolia grandiflora 'Goliath' 76
Mahonia (mahonia) 26, 31
M. x *media* 'Buckland' 41, 42, 126
Maladie du corail 121
Maladie des taches noires 120, 121
Maladies 120-121
Malus (pommier à fleur) 26
M. 'John Downie' 41, 126
Marguerite *voir Leucanthemum*
Marguerite d'automne *voir Aster*
Marocain, jardin 14
Massifs 8, 46-49, 72-73, 76-79, 84-89, 91
Matières organiques, paillis 51
Mauvaises herbes 116-117
géotextile 51, 114
vivaces 115
Mauve en arbre *voir Hibiscus*
Meconopsis 43
M. cambrica 154
Méditerranéen, jardin 17, 36, 84-85
Melianthus major 30, 35, 40, 135
Mélinet à grandes fleurs *voir Cerinthe*
Métal, pots en 94
Microclimats 37
Microdiffuseurs 111
Millepertuis *voir Hypericum*
Mimosa, 124
Miscanthus sinensis
'Variegatus' 80
'Zebrinus' 135
Molinia caerulea subsp. *caerulea* 'Variegata' 74
Montbrétia *voir Crocosmia*
Murs
bordures 37
grimpantes 20
Musa basjoo (bananier) 35
Muscari armeniacum 98
Myosotis du Caucase *voir Brunnera*

N, O

Nandina domestica 31, 135
Narcissus (narcisse) 18, 20
N. 'Jetfire' 149
N. 'Sweetness' 98
Naturel, jardin 33
Nepeta x *faassenii* 42, 149
Oenothera speciosa (œnothère) 149
Oïdium 121
Olea europaea (olivier) 14, 17, 40, 126
Olearia x *haastii* 84
Olivier *voir Olea*
Ombre 36
grandes plantes pour l' 128-129
petites plantes pour l' 152-155
plantes de taille moyenne pour l' 138-143
Omphalodes cappadocica 'Cherry Ingram' 154
Onagre *voir Oenothera*
Ophiopogon planiscapus 'Nigrescens' 17, 34, 74, 80, 154
Orange, couleur 11, 12, 78-79
Oranger du Mexique *voir Choisya ternata*
Oreille-d'ours *voir Stachys*
Oreille-de-lièvre *voir Stachys*
Origanum vulgare
'Aureum' 86
'Polyphant' 86
Orpin *voir Sedum*
Ortie 116
Osmunda regalis (osmonde royale) 142
Osteospermum 'Sunny Serena' 149
Otiorhynque 119
Oxalis 117

P

Pachysandra terminalis 154
Paillis 34, 51
Palmier 14
Palmier chanvre *voir Trachycarpu*
Papaver (pavot) 14
Parahebe perfoliata 70
Parfums au jardin 26
hiver 18, 106-107
printemps 20
Parterres 34
Patios 37
Pavés, bordure 50
Pavot *voir Papaver*
Pavot en arbre *voir Romneya*
Pavot de Californie *voir Eschscholzia*
Pavot jaune *voir Meconopsis cambrica*
Pelargonium 14, 82
P. tomentosum 100
Pelouse
bordures 49-50
découpage 47
mauvaises herbes 115
Pennisetum setaceum 'Rubrum' 135
Pensée d'hiver 106
Penstemon (penstémon) 113
P. 'Alice Hindley' 149
P. 'Andenken an Friedrich Hahn' 149
P. digitalis 'Husker Red' 72, 82
Perce-neige *voir Galanthus*
Perce-oreille 119
Perovskia 'Blue Spire' 40, 135
Persicaria 113
P. affinis 'Superba' 150
Pervenche *voir Vinca*
Petites plantes
pour l'ombre 152-155
pour le soleil 144-151
Pétunia *voir Calibrachoa*
Philadelphus 35
Phlomis russeliana 135
Phlox 113
P. 'Chattahoochee' 150
Phoenix canariensis 35
Phormium 14, 31
P. tenax 35
'Atropurpureum' 76
P. 'Tom Thumb' 82
P. 'Yellow Wave' 42, 136
Photinia x *fraseri* 'Red Robin' (photinia) 31, 35, 43, 126
Phyllostachys 129
P. nigra 31, 34, 80, 129

eris 43
P. 'Forest Flame' 142
erre, pots en 95
inus 17, 90
P. mugo 'Ophir' (pin de montagne) 34, 136
P. sylvestris groupe Aurea 90
ssenlit 117
tons à vis 62
ittosporum
P. tenuifolium 'Tom Thumb' 35, 150
P. tobira 40, 136
'Nanum' 76
lantation
méthodes 44-67
recettes 68-91
styles 32-35
lantes à massif 34
lantes de taille moyenne
pour l'ombre 138-143
pour le soleil 130-137
lastique, pots en 95
lumbago rampant *voir Ceratostigma*
oches de froid 37
oints de mire 12-13, 14, 70-71, 82-83
olygonatum x *hybridum* (sceau-de-Salomon) 78
olygonum couvre-sol *voir Persicaria affinis*
ommier à fleur *voir Malus*
otasse, engrais riches en 112
otées 32, 92-107
ambiance méditerranéenne 17
choisir les 94-95
composer des 96-97
intérêt automnal 25
jardins marocains 14
point de mire 12
thème subtropical 14
Pots *voir* potées
Pourpre, couleur 11
Prêle 116
Primula (primevère) 20
P. florindae 142
P. pulverulenta (primevère candélabre) 41, 43, 155
P. vulgaris (primevère commune) 42, 155
'Double Sulphur' 106
Printanier, intérêt 18, 20-21, 78-79
potées 98-99
Prunus x *subhirtella* 'Autumnalis Rosea' 127
Puceron 119
Pulmonaria (pulmonaire) 20
P. 'Sissinghurst White' 155
Pulsatilla vulgaris (pulsatille) 42, 150

R

Ravageurs 118-119
Recevoir au jardin 32
Renouée 116
Rhododendron 43
R. 'Olive' 142
R. 'Persil' (azalée de Chine) 143
Rhus 25
Ribes (groseillier à fleur) 35
R. sanguineum 'Brocklebankii' 143
Ricinus communis 35
Robinia pseudoacacia 'Frisia' (robinier faux acacia) 127
Romarin *voir Rosmarinus*
Romneya coulteri 40, 43, 127
Ronce 117
Rosa (rosier)
R. x *odorata* 'Mutabilis' (rosier de Chine) 136
R. xanthina 'Canary Bird' 136
Rose, couleur 11, 22
Rosier 25, 30, 35, 42
voir aussi Rosa
Rosmarinus officinalis (romarin) 40, 86, 136
groupe Prostratus 70
Rouge, couleur 11, 78-79, 104-105
Rouille 121
Rudbeckia 22, 113
R. fulgida var. *sullivantii* 'Goldsturm' 150
Rudbéckia pourpre *voir Echinacea purpurea*
Rue, jardin sur 82-83
Rumex 116

S

Sableux, sol 38
plantes pour 40
test 39
Salvia (sauge) 88
S. officinalis 'Icterina' (sauge officinale) 86
'Purpurascens' 137
S. x *sylvestris* 'Mainacht' 137
Sambucus racemosa 'Plumosa Aurea' 30, 41, 129
Santolina chamaecyparissus 34, 70
Sarclage 115
Sarcococca
S. confusa 106
S. hookeriana var. *digyna* 143
Sauge *voir Salvia*
Saxifraga fortunei (saxifrage) 25, 155
Sceau-de-Salomon *voir Polygonatum*
Sedum (orpin)
S. 'Herbstfreude' 42, 88, 113, 150
S. spectabile 74
Senecio cineraria 104
Séneçon jacobée 117
Sisyrinchum striatum 'Aunt May' 151
Situation exposée 37
Skimmia x *confusa* 'Kew Green' 43, 143
Solanum crispum 'Glasnevin' 40, 127
Soleil 36
jardins de gravier 70-71
grandes plantes pour le 124-127
petites plantes pour le 144-151
plantes de taille moyenne pour le 130-137
Sorbus (sorbier) 25
S. cashmiriana 127
Spiraea japonica 'White Gold' 82
Stachys byzantina 'Big Ears' (oreille-d'ours) 151
Statues 14
Stewartia monadelpha 43, 129
Stipa
S. arundinacea voir Anemanthele
S. gigantea 88, 137
S. tenuissima 31, 34, 151
Subtropical, jardin 14, 32, 35, 100-101
Succulentes 14
Sureau *voir Sambucus*

T

Taxus baccata (if) 34
Tenthrède 119
Terrasses 35
Terre, pots en 94
Tetrapanax 17
Thymus
T. x citriodorus 86
T. doerfleri 'Doone Valley' 86
T. pulegioides 'Bertram' 70
Tiarella cordifolia 155
Tontes de pelouse, compost 53
Topiaire 14, 34
Tourbeux, sol 38
Trachelospermum 14
T. asiaticum 31, 127
Trachycarpus (palmier) 14
T. wagnerianus (palmier chanvre) 137
Treillage, utilisé comme barrière 37
Tulipa (tulipe) 20, 30, 78-79
T. 'Ballerina' 78
orange 12
Tuteurs 58, 72, 113
Tuyau microporeux 111
Types de sol 38-39

U, V

Uvularia grandiflora 43, 155
Verbena (verveine) 88
V. bonariensis 34, 40, 88,137
Vergerette *voir Erigeron*
Veronica gentianoides 'Tissington White' 151
Véronique arbustive *voir Hebe*
Verveine *voir Verbena*
Viburnum 25
V. davidii 143
V. tinus 'Eve Price' 41, 143
Vie sauvage
favoriser la 33
prédateurs 118
Vinca (pervenche) 31, 102
V. difformis 151
V. minor 'Illumination' 102
Viola 106
Viorne *voir Viburnum*
Virus 120
Vivaces, plantation 54-55

W, Y, Z

Weigela 'Eve Rathke' (weigélia) 137
Wisteria (glycine) 20
Yucca 17
Zauschneria californica 151

Crédits photographiques

L'éditeur remercie les personnes suivantes pour leur aimable autorisation à reproduire les photographies :

h = en haut , b = en bas, c = au centre, g = à gauche, d = à droite, t = tout en haut

2-3 : DK Images : Steve Wooster/RHS Chelsea Flower Show 2001. **6-7 :** DK Images : Steve Wooster/RHS Chelsea Flower Show 2001/Norwood Hall, The Artist's Garden. **8 :** Harpur Garden Library : Marcus Harpur : Design : Dr Mary Giblin, Essex (t). Andrew Lawson : Designer : Anthony Noel (b). **9 :** The Garden Collection : Liz Eddison (b). John Glover : Ladywood, Hampshire (t). **10 :** The Garden Collection : Liz Eddison/Tatton Park Flower Show 2002/Designer : Andrew Walker. **11 :** Marianne Majerus Photography : RHS Rosemoor (t), S & O Mathews Photography : The Lawrences' Garden, Hunterville, NZ (c), Leigh Clapp : (b). **12 :** DK Images : Sarah Cuttle/RHS Chelsea Flower Show 2005/4Head Garden/ Designer : Marney Hall (td), Mark Winwood/Hampton Court Flower Show 2005/Designer : Susan Slater (bd). **14 :** Marianne Majerus Photography : Designer : Pat Wallace (t), Designer : Ann Frith (b). **15 :** Marianne Majerus Photography : Designer : George Carter (t), The Garden Collection : Jonathan Buckley/Designer : Helen Yemm (b). **16 :** Derek St Romaine/ RHS Chelsea Flower Show 2000/Designer : Lindsay Knight (t), The Garden Collection : Liz Eddison/Hampton Court Flower Show 2005/Designer : Daryl Gannon (b). **17 :** The Garden Collection : Liz Eddison/ Whichford Pottery (g) ; Liz Eddison/ Hampton Court Flower Show 2002/ Designer Maureen Busby (d). **18 :** Andrew Lawson : (t) (c) (b). **19 :** The Garden Collection : Jonathan Buckley/ Designer : Helen Yemm. **20 :** The Garden Collection : Derek Harris. **21 :** Leigh Clapp : St Michael's House (t). Andrew Lawson : (b). **22 :** The Garden Collection : Liz Eddison/Hampton Court Flower Show 2001/Designer : Cherry Burton (t). **23 :** Leigh Clapp : Green Lane Farm. **24 :** Andrew Lawson. **25 :** The Garden Collection : Jonathan Buckley/Designer : Mark Brown (t) ; Jonathan Buckley (b). **26 :** Marianne Majerus Photography : Designer : Kathleen Beddington (t). **27 :** The Garden Collection : Liz Eddison (tg), Andrew Lawson : (d) ; Waterperry Gardens, Oxon (bg). **30 :** John Glover : Ladywood, Hants (t). **32 :** Derek St Romaine : Mr & Mrs Bates, Surrey (t). Nicola Stocken Tomkins : Berrylands Road, Surrey (b). **33 :** Marianne Majerus Photography : Designer : Julie Toll (t), Leigh Clapp : (b). **34 :** Leigh Clapp : Copse Lodge (g). Nicola Stocken Tomkins : Longer End Cottage, Normandy, Surrey (c), Nicola Browne : Designer : Jinny Blom (d). **35 :** Leigh Clapp : Merriments Nursery (g). Andrew Lawson : RHS Chelsea Flower Show 1999/Selsdon & District Horticultural Society (c). Nicola Stocken Tomkins : Hampton Court Flower Show 2004/Designer : S Eberle (d). **37 :** Marianne Majerus Photography : Manor Farm, Keisby, Lincs. (bd). **42 :** crocus.co.uk (bg). **46 :** Andrew Lawson. **50 :** Forest Garden (bd). **71 :** DK Images : Mark Winwood/ Capel Manor College/Designer : Irma Ansell : The Mediterranean Garden. **72-73 :** Thompson & Morgan. **75 :** DK Images : Mark Winwood/Capel Manor College/Designer : Elizabeth Ramsden : find title. **77 :** DK Images : Mark Winwood/Hampton Court Flower Show 2005/Designer : Susan Slater : 'Pushing the Edge of the Square'. **78 :** Marianne Majerus Photography : Designers : Nori and Sandra Pope, Hadspen (bg). **79 :** Marianne Majerus Photography : Designers : Nori and Sandra Pope, Hadspen. **81 :** DK Images : Mark Winwood/Hampton Court Flower Show 2005 : Designed by Guildford College : 'Journey of the Senses'. **83 :** DK Images : Mark Winwood/Capel Manor College/ Designer : Sascha Dutton-Forshaw : 'Victorian Front Garden. **84-85 :** DK Images : Mark Winwood/Capel Manor College : Designer : Irman Ansell : The Mediterranean Garden. **87 :** Modeste Herwig. **88 :** Leigh Clapp : Designers : Acres Wild (bg). **89 :** Leigh Clapp : Designers : Acres Wild. **90 :** S & O Mathews Photography : RHS Rosemoor (bg) (bd). **91 :** S & O Mathews Photography : RHS Rosemoor. **99 :** John Glover. **118 :** Holt Studios International : Michael Mayer/FLPA (bg). **119 :** RHS, Tim Sandall (bc), Holt Studios International : Nigel Cattlin/FLPA (cd). **124 :** crocus.co.uk (bg), **125 :** crocus.co.uk (bc). **127 :** crocus.co.uk (bc). **133 :** crocus.co.uk (td). **136 :** Garden World Images : (bg). **148 :** Garden World Images : (bg) (bd)

Dorling Kindersley tient à remercier les personnes suivantes pour leur assistance et leur contribution efficaces.
Assistantes éditoriales : Helen Ridge, Fiona Wild, Mandy Lebentz
Assistantes artistiques : Elly King, Murdo Culver
Index : Michele Clarke